CYFRES Y CEWRI

CYFRES Y CEWRI 25

Meical Ddrwg o Dwll y Mwg

Mici Plwm

Gwasg
Gwynedd

Argraffiad Cyntaf — Tachwedd 2002

© Mici Plwm 2002

ISBN 0 86074 188 5

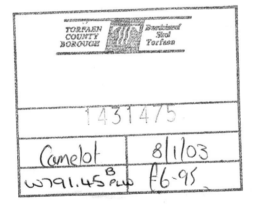

*Cyhoeddwyd ac argraffwyd
gan Wasg Gwynedd, Caernarfon*

I Metron

Diolch i Lyn Ebenezer
am bob cymorth a chefnogaeth
wrth gofnodi'r hanes.

Cynnwys

Heil, Hitler!

Ddim yn aml y mae gan rywun achos i ddiolch i Hitler am unrhyw beth. Ond mae gen i. Oni bai am yr hen Adolf, er mor erchyll oedd o, fyddwn i ddim yma.

Pan gychwynnodd y Rhyfel ym 1939, rhyw ffroth ar ben peint oeddwn i, rhyw winc yn llygad fy nhad. Roedd y *Luftwaffe* yn brysur yn bomio ac yn dechra taro Llunden. Roedd ofnau am leoedd fel Palas Buckingham a San Steffan a mannau tebyg a dyma ddechrau symud pobol o'r canolfannau poblog, yn enwedig plant. Clymid labeli ar eu coleri a'u danfon i ddiogelwch, a daeth llawer iawn ohonynt i Gymru. Fe ddysgodd llawer ohonyn nhw Gymraeg ac, yn wir, penderfynodd amryw aros yng Nghymru wedi i'r Rhyfel ddod i ben. Does dim angan manylu. Mae'r hanes hwnnw i gyd wedi'i gofnodi.

Ond yr hyn sydd heb ei gofnodi'n fanwl hyd yma ydi'r canlyniadau i benderfyniad y Llywodraeth ar y pryd i ddiogelu trysorau gwledydd Prydain, cynnwys yr orielau celf a'r amgueddfeydd – casgliadau amhrisiadwy.

Y symud cynta oedd i Aberystwyth, lle y diogelwyd llawer iawn o drysorau mewn seleri o dan y Llyfrgell Genedlaethol, yn ddigon pell o Lunden. Ond, wrth i'r *Luftwaffe* ymestyn eu cyrchoedd i ddinasoedd fel Lerpwl a Manceinion, fe fydden nhw'n hedfan yn ôl ar hyd arfordir gogledd a gorllewin Cymru. Ac, os na fydden nhw wedi defnyddio'u bomiau i gyd, a hynny'n aml am eu bod nhw'n gorfod ffoi rhag y *Spitfires*, fe fydden nhw'n gollwng y rhai sbâr i'r môr. Ond weithiau, yn ddamweiniol neu'n fwriadol, trawai ambell fom y tir – fe ddisgynnodd rhai yng nghyffiniau Aberystwyth.

Fe achosodd hyn gryn banig. Nid yn unig roedd y trigolion mewn perygl, ond roedd y trysorau amhrisiadwy mewn perygl hefyd, ac i rai, mae petha'n bwysicach na phobol.

Penderfynwyd symud y trysorau eto, llawer ohonyn nhw i Fangor, gan feddwl y bydden nhw'n fwy diogel yno ym Mhlas Penrhyn ac yng ngwahanol adeiladau'r Brifysgol. Ond yr un fu'r stori eto. Sylweddolwyd y gallai ambell fom strae achosi cryn ddifrod i'r trysorau. Ar ben hyn fe fyddai ysbïwyr yr Almaen wedi dod i wybod erbyn hyn am fannau reit bwysig yn y cylch, maes awyr Dinas Dinlle, er enghraifft, a safle bomio Penychain ger Pwllheli, mannau a allai gael eu targedu.

Yn wir, fe ddisgynnodd rhai bomiau yn ardal Bangor ac fe ddaeth yn fater o frys i symud y trysorau unwaith eto. Roedd Winston Churchill wedi addunedu na châi'r trysorau adael Prydain felly penderfynwyd chwilio am le diogelach eto fyth. Dewiswyd Llan Ffestiniog.

Doedd dim byd i'w fomio yn Llan Ffestiniog ac, ychydig filltiroedd o'r pentra roedd y safle ddelfrydol – crombil Chwaral Cwt y Bugail ym mherfeddion y Manod. Cymrodd y Weinyddiaeth Ryfel feddiant o'r chwaral fel cartra newydd i'r trysorau. Ond roedd y tymheredd o dan y ddaear, er yn sefydlog, yn rhy oer a bu'n rhaid gosod gwresogyddion a goleuadau yno i sefydlogi'r tymheredd.

O'r cychwyn cynta, cafodd y fenter ei gweinyddu gan

staff arbenigol yr Oriel Gelf Genedlaethol yn Llunden. Roedd y rhain yn hen gyfarwydd â'r gwaith ac fe ddanfonwyd tua ugain ohonynt i Gymru. Yn eu plith roedd gŵr o'r enw Ernest Barnett Harrison. Ef oedd y Prif Arolygwr, o ran y gweithlu, oedd yng ngofal yr holl waith yn y Llan. A dyma'r Weinyddiaeth Ryfel unwaith eto yn hawlio llety iddynt, yn cynnwys Plas y Pengwern rhwng y Llan a'r Manod, lle cyfleus nad oedd ond tua dwy neu dair milltir o'r chwaral.

Daeth Ernest a'i wraig, ynghyd â'u merch, Daphne Eva, oedd tua dwy ar bymtheg oed, i'r Llan ac ymsefydlu ym Mronygraig ac yna yn Sun Street.

Pentra bach yw Llan Ffestiniog, pentra sy'n swatio ar y silff uwchlaw dyffryn Maentwrog, gyda phoblogaeth o tua wyth gant adeg y Rhyfel. Fe symudodd yr arbenigwyr hyn i mewn ac fe aeth y gwaith o addasu'r chwaral a storio'r trysorau ymlaen ddydd a nos.

Cododd rhai pryderon – llwch, er enghraifft. Mae yna lwch ymhob chwaral, a'r llwch hwnnw'n beryg i iechyd. Ond beth oedd effaith y llwch ar y trysorau? Fe fu'n rhaid galw arbenigwyr draw i asesu'r sefyllfa. Ond, er bod y llwch yn beryg i iechyd pobol, roedd o'n cynorthwyo yn hytrach na pheryglu'r trysorau, gan y canfuwyd ei fod yn cadw llwydni draw.

Y chwareli oedd yn darparu gwaith i bobol yr ardal. Dyna oedd y brif gynhaliaeth. Roedd fy nhaid, Dafydd Morris Jones, tad Nhad yn gweithio yn yr Oakley yn Stiniog, lle byddai'n teithio bob dydd ar y bws. Gweithiai gyda Wil John Roberts, tad-yng-nghyfraith Yr Athro Gwyn Thomas o Brifysgol Bangor. Roedd Wil John yn chwe throedfedd a hanner o daldra, yn ddyn mawr, cyhyrog. Fe fyddai'n edrych i lawr hyd yn oed ar rywun mor fawr ag Orig Williams! Roedd fy nhaid, ar y llaw arall – a hawdd fyddai deud fy mod i o'i linach o – yn bwtyn bach pum troedfedd pedair modfedd, os hynny.

Fel yn y gweithfeydd glo, byddai'r chwarelwyr yn barod iawn â'u llysenwau. Gelwid Wil John Roberts a fy nhaid, a oedd yn tynnu wagenni fel dau geffyl gwedd, yn Albion Bach ac Albion Mawr.

Fe fyddai llawar o'r bechgyn iau yn mynd i'r fyddin, wrth gwrs, gan ei bod hi'n gyfnod rhyfel. Mae gen i frith gof imi glywed yn ddiweddarach i ryw gatrawd neu'i gilydd gael ei chreu yn arbennig gan REME ar gyfer gweithwyr caib a rhaw, gweithwyr chwaral a gweithwyr tir. Rhain oedd y *Sappers*. Ac fe aeth llawer o fechgyn ifainc ardal Stiniog i'r REME.

Mynd i'r fyddin hefyd fu hanes Nhad. Fe welodd o wasanaeth yn Burma, Singapore ac India, dwi'n meddwl. Y rheswm rydw'i mor ansicr yw ei fod o, fel aml i dad a fu yn y Rhyfel, yn gyndyn iawn o siarad am y peth wrth ei blant. Dydi pobol sydd wedi gweld erchyllterau ddim isio siarad amdanynt.

Dwi'n cofio amdano'n gwylltio unwaith pan ofynnais i a gawn i ymuno â'r *Territorial Army*. Mi aeth o braidd yn gas. Yn amlwg, doedd o ddim am i mi fynd i lawr yr un llwybr ag yr aeth o.

Ta waeth, fe ddychwela i at yr Harrisons, yn arbennig at y ferch, Daphne Eva. Hogan ifanc wedi dod i'r pentra, a llawer o holi pwy oedd hi a'i theulu, pwy oedd y bobol ddieithr yma?

Mae dogfennau wedi eu cofnodi gan arbenigwr o'r

Oriel Gelf Genedlaethol, sy'n datgelu fod yna agweddau cenedlaetholgar, neu *nationalistic tendencies* yn yr ardal, ac nad oedd y newydd-ddyfodiaid yn cael derbyniad cynnes iawn gan y trigolion. Ond, o ystyried y cyfnod, hwyrach fod hyn wedi ei gam-briodoli i'r ffaith nad oedd fawr ddim Saesneg yn yr ardal. Fe fyddai hi wedi bod yn anodd i'r bobol leol ddallt y dieithriaid hyn, yn enwedig o ystyried eu hacenion Cocni. I bobol y Llan roeddan nhw'n swnio mor ddieithr â phetaen nhw wedi dod o'r lleuad.

Fe synnwyd yr arbenigwr hefyd gan mor agored oedd popeth. Roedd cyfrinachedd yn bwysig iawn a doedd yr awdurdodau ddim am i'r wybodaeth am bresenoldeb y trysorau ddod i glustiau'r gelyn. Eto, dyma'r papur lleol yn cario nodyn o groeso i'r dieithriaid hyn. Ofnai'r cofnodwr fod eu presenoldeb yn *common knowledge*. Mae'r sefyllfa'n atgoffa rhywun am y stori enwog honno am ysbïwr o'r enw Jones a drigai mewn pentra yng Nghymru, a'i gysylltwr o Rwsia yn sgwrsio'n llechwraidd â'r Jones cynta a gyfarfu yn y pentra bach. Yr ateb gafodd o oedd, 'Nid fi ydi'r Jones rydych chi eisiau. Mae Jones y *spy* yn byw drws nesaf'.

Roedd Daphne, o weld ei lluniau hi'n ferch ifanc, yn sicr o fod wedi troi pennau llawer llanc lleol. Ac fe wnaeth un hogyn lleol yn arbennig gymryd diddordeb mawr ynddi gan dechrau ei chanlyn hi a gwneud 'points' ac ati.

Teimlai rhai trigolion ardal Stiniog nad rhyw Gocni coman oedd Ernest Barnett Harrison ond rhywun a oedd, yn rhinwedd ei swydd fel Prif Arolygwr yr Oriel Gelf, yn berchen ar gryn urddas ac yn dueddol o edrych i lawr ei drwyn braidd ar y bobol gyffredin. Tybed be' wnâi o, felly, o'r tipyn chwarelwr ifanc yma oedd ar ôl ei ferch o?

Wel, enw'r tipyn chwarelwr ifanc hwnnw oedd Huw Morris Jones, sef Nhad.

Wrth i'r berthynas ddatblygu fe ddaeth y ddau deulu at ei gilydd i drafod y sefyllfa. Ac, un noson, wrth i Taid a Nain ymweld â chartra rhieni Daphne, dyma Ernest yn cynnig *Sherry* bach i Taid. Arwydd arall o'r urddas a oedd yn perthyn i Ernest, mae'n debyg. Ond roedd Taid yn flaenor yng Nghapal Bethel a wnaeth o ddim cymryd at y cynnig yn dda iawn. Ofnai fod rhywun a gadwai ddiod feddwol yn ei gartra yn dueddol o ganlyn tafarndai, er mai dim ond dwy dafarn oedd yn y Llan bryd hynny fel heddiw, y Pengwern a'r Abbey.

Beth bynnag, setlwyd ar briodas. Ond, cyn i hynny ddigwydd, derbyniodd Nhad ei bapurau gwŷs yn ei alw i'r fyddin. Er hyn, ymlaen yr aeth y briodas.

Ymhen amser fe anwyd fy chwaer hynaf, Maureen, sydd ddwy flynedd yn hŷn na mi, ym mis Mawrth 1942. Penderfynwyd ei bod hi i gadw cyfenw gwreiddiol Mam gan gael ei hadnabod fel Maureen Harrison Jones.

Rhyw fynd a dod wnâi Nhad fel milwr. Câi ei anfon i fannau na châi eu henwi, oherwydd cyfrinachedd a diogelwch, ac roedd hynny'n ddigon naturiol. Wedi'r cyfan, fydda fo ddim yn danfon cerdyn o Singapore yn deud, 'Mae hi'n braf yma'.

Felly, rhyw garwriaeth, priodas, a mynd yn ôl i'r fyddin fu'r hanes. Mae'n rhaid iddo fo gael dod adra weithiau gan i mi gael fy ngeni ar *D-Day*+6.

D-Day, wrth gwrs, oedd cychwyn y cyrch i ryddhau

Ewrop o grafangau'r Natsïaid ar 6 Mehefin 1944, a minnau'n cael fy ngeni chwe niwrnod yn ddiweddarach, ar 12 Mehefin.

Y cof cynta sydd gen i fel plentyn yw'r atgof o fynd gyda Mam dros ryw bont, ac ymlaen ar hyd stryd o gerrig mân, neu *cobbles*. Roedd rhyw arwydd ar wal gerllaw a golau stryd mawr uwchben. Wedyn, dyma ni'n mynd i lawr rhyw risiau, ac yna i lawr grisiau eraill eto.

Wyddwn i ddim yn iawn ai breuddwyd oedd hyn a dyma ofyn i Mam, flynyddoedd wedyn, a oedd hi'n cofio digwyddiad tebyg? Dyma hi'n syllu arna i mewn syndod, yn methu dallt y peth. Roedd y llun oeddwn i wedi'i beintio iddi, drwy ofyn y cwestiwn, yn ei hatgoffa ohoni hi'n mynd â mi o Stiniog i Lunden i weld ei rhieni, sef Taid a Nain Harrison. Fedra hi ddim credu 'mod i'n medru cofio gan mai baban deunaw mis oed oeddwn i ar y pryd. Y darlun oedd wedi aros yn fy nghof oedd un o Mam a minnau yn mynd i lawr grisiau stesion dan-ddaearol Upper Norwood, neu rywle tebyg, yn yr ardal o Lunden lle'r oedd teulu Mam yn byw.

Felly, petai rhywun yn gofyn i mi beth yw fy nghof cynharaf, dyna fo, rhywbeth o'r isymwybod. Nid cof yn hollol, ond llun.

Beth bynnag, daeth y Rhyfel i ben a phawb yn falch o gael ailafael ar linynnau eu bywyd a setlo unwaith eto. Daeth pobol adra o'r fyddin, ac yn eu plith, hogia REME yn troi o fod yn *Sappers* i fod yn chwarelwyr unwaith eto. Yn anffodus, ddaeth rhai eraill ddim adra o gwbwl.

Ond yn ôl at Hitler. Oni bai iddo fo ddanfon ei *Luftwaffe* i fomio Llunden, a'r holl drysorau hynny'n gorfod cael eu danfon i ddiogelwch, a bod Ernest Barnett

Harrison a'i gydweithwyr wedi eu danfon i'w gwarchod yn Llan Ffestiniog, faswn i ddim yn bod, heb os nac onibai.

Felly, thanciw, Adolf.

Newid Aelwyd

I droi'r cloc yn ôl rŵan i'r dyddiau cyn y Rhyfel. Mae gen i goeden deuluol ddigon diddorol, yn arbennig ar ochr Nhad, Huw Morris Jones, a'i dad yntau, Dafydd Morris Jones. Dydw'i ddim wedi olrhain cefndir Mam i'r un graddau ond o'i hochr hi y daw'r Gwyddel sy'n rhan ohona i.

Roedd Nain, sef mam fy mam, wedi dod draw o Gorc yn Ne Iwerddon i weithio i Lunden, fel y gwnaeth llawer o Wyddelod. Dod i weithio yn nhai'r byddigions ac yna priodi. Curley oedd ei chyfenw, ond dydw'i ddim wedi olrhain coeden deulu ochr Mam fwy na hynna, er fy mod i'n bwriadu gwneud er mwyn canfod fy nghefndryd Gwyddelig draw yn Iwerddon Rydd.

Ond, at y Morris Jonesiaid. Teulu o Annibynwyr, teulu Ffriddgymen, Llangywer, sydd i fyny ar y silff honno uwchlaw Llyn Tegid, ger Y Bala. Mae'r teulu wedi cael ei olrhain yn ôl i deulu Ann Griffiths, yr emynyddes o ardal Llanfyllin sydd, wrth gwrs, ar draws y mynydd o Langywer. Mae'n rhaid fod rhyw linach o'r teulu wedi dod drosodd i ardal Y Bala i weithio i ddechrau ar y rheilffyrdd. Lewis Jones a'i wraig Elizabeth yn ymsefydlu yn Ffriddgymen, lle ganwyd mab iddyn nhw, Morris. Hwnnw wedyn yn dod yn dad i saith o blant, yn cynnwys Dafydd Morris Jones, fy nhaid.

Un peth fedra i gofio am Nain yw ei bod hi'n llawn o

ddywediadau. Un peth fyddai hi'n ddeud wrtha'i bob amser pan oeddwn i'n blentyn fyddai, 'Meical ddrwg o dwll y mwg'.

Be' sy'n ddifyr yw hanes rhai o frodyr a chwiorydd fy hen daid, Morris. Roedd gynno fo frawd o'r enw Penllyn a oedd yn emynydd adnabyddus. Hynny, wrth gwrs, yn parhau traddodiad Ann Griffiths. Brawd arall oedd Llew Tegid, sydd â'i hanes yn y Bywgraffiadur. Ef, dwi'n meddwl, oedd yn arwain ar lwyfan Eisteddfod Penbedw adeg y Gadair Ddu. Roedd o'n arweinydd, yn bregethwr ac yn berfformiwr. Weithiau fe fydd rhywun yn gofyn i mi o ble daeth yr awydd yma i berfformio a'r unig ateb sydd gen i yw iddo ddod oddi wrth Llew Tegid.

Yn eu mysg roedd brawd arall, Owen C. Jones, a fyddai'n mynd a dod i Batagonia. Mae'n debyg i chwaer i Owen C., Elizabeth, fynd drosodd gydag o gan aros yno, priodi a chodi teulu. Felly, petai rhywun yn dilyn y goeden deuluol, rwy'n gefnder i Rene Griffiths.

Fe gyfeiriais eisoes at fy chwaer hynaf, Maureen. Mae gen i hefyd frawd a chwaer sy'n fengach na mi, Monica a Malcolm. Ganwyd Monica ym mis Ebrill 1948 a wedyn Malcolm yn 1950.

Do, fe setlodd petha wedi'r Rhyfel ond, yn achos ein teulu ni, fedrwn i ddim deud – fel y gorffennai'r hen storïau Tylwyth Teg hynny – i ni oll fyw'n hapus byth wedyn. Symudwyd y trysorau i gyd yn ôl i Lunden ac fe symudodd Ernest Barnett Harrison a'i wraig yn ôl gyda nhw. Roedd Daphne Eva Harrison erbyn hyn yn Daphne Eva Jones ac yn fam i ddau o blant ac, wrth gwrs, fe arhosodd hi ar ôl yn y Llan.

Doedd hi ond ychydig dros ei hugain oed ac, o

sylweddoli ei bod hi'n ddieithr a heb ddallt fawr ddim Cymraeg, mae'n rhaid i hwn fod yn gyfnod dirdynnol o unig iddi. Hyd ei hangau mynnai na fedrodd ddysgu dim Cymraeg o gwbwl ar wahân i *mockyn back* fel y dywedai hi am fochyn bach.

Fe'i cymerwyd yn sâl. Nid salwch amlwg fel rhyw bla neu'i gilydd ond salwch mwy cymhleth oedd hwn, trafferthion gyda'r nerfau a gyda'r meddwl. Bu dan law'r doctor ac ar wahanol dabledi am hydoedd ac, er mai plentyn oeddwn i, fe fedra i gofio'r nyrs leol yn galw yn ddyddiol. Er iddi, mae'n rhaid, wella am gyfnodau, gan iddi eni dau blentyn arall, fe waethygodd wedyn a threuliodd gyfnod hir yn Ysbyty Dinbych. Roedd yno adran Seiciatryddol ond roedd stigma yn perthyn i unrhyw un fyddai'n gorfod mynd yno.

Yn y cyfamser roedd Nhad wedi dilyn ei dad ei hun i'r chwaral fel rwbelwr bach. Roedd o'n gorfod cychwyn am saith o'r gloch y bore, gan adael tua thri chwarter awr yn gynharach na hynny i ddal y bws i'r Oakley. Wedyn byddai'n rhaid cerdded i fyny'r chwaral.

Chwaral yr Oakley, gyda llaw, oedd chwaral ddyfna'r byd ar y pryd ond maen nhw wedi boddi'r lefelau bellach. Bryd hynny, yn ôl yr hanes, petai rhywun yn mynd o'r inclein fawr i lawr i'r lefel isaf un, wedyn mynd i bendraw'r twll isaf a thyllu'n syth i fyny, fe ddôi allan ar wastadedd Maentwrog. Golygai hynny bod y chwarelwyr yn gweithio gannoedd ar gannoedd o droedfeddi islaw arwynebedd y môr.

Petai o'n gweithio i lawr yn y lefel isaf, fe fyddai'n rhaid i Nhad gychwyn o'r tŷ yn gynnar iawn er mwyn bod yn ei waith erbyn saith. Pan oedd Mam yn treulio cyfnod yn Ysbyty Dinbych, fyddai neb yno i'n codi ni i fynd i'r ysgol, er y byddai Nhad yn trio'i orau. Rwy'n cofio rhyw Mrs Davies, gwraig i un o'r chwarelwyr a weithiai gyda Nhad, yn helpu allan. Pan fydda'r bws yn dod i lawr o Stiniog i sgwâr y Llan i nôl y chwarelwyr, fe fyddai hi yn dod i lawr i'n codi ni, rhoi dillad glân i ni, gwneud brecwast a'n paratoi ar gyfer mynd i'r ysgol. Byddai trefniant pellach wedyn iddi fod yno tua hanner awr wedi tri i'n derbyn ni – Maureen a fi – o'r ysgol.

Ond doedd hynny ddim yn gweithio. Er bod Nhad yn weddol hapus hefo'r sefyllfa, mae'n rhaid fod y peth yn straen arno. Roedd y sefyllfa'n creu poen calon iddo wrth sylweddoli nad oeddan ni bellach yn uned deuluol.

Mae gen i gof wedyn i Mam ddod adra o'r ysbyty pan oeddwn i tua pump oed. Roedd hi wedi bod yno am tua pum wythnos y tro hwnnw. Ond roedd penderfyniad wedi'i wneud y byddai rhaid iddi fynd i mewn y tro nesa am gyfnod hirach, er mwyn i'r driniaeth fod yn fuddiol.

Roedd hi'n amlwg, o dan amgylchiadau fel hyn, na fedrai Nhad ddygymod â'r fath sefyllfa. Fedra fo ddim bod mewn gwaith a threfnu hefyd i ofalu am bedwar o blant. Daethpwyd, felly, i'r penderfyniad y dylid ein gosod ni mewn gofal. Hynny yw, byddai'n rhaid ein gosod mewn cartra plant a, thrwy ryw ryfedd wyrth, roedd yna un yn Llan Ffestiniog o bob man, hen blasty mawr i lawr o sgwâr y pentra. Mae o i'w weld yn glir ar Allt Goch cyn cyrraedd y pentra, ar y ffordd i fyny o Faentwrog tua'r Llan. Bryn Llywelyn yw ei enw o hyd, er mai cartra i'r henoed ydi o bellach.

Roedd y penderfyniad wedi'i wneud drwy'r awdurdodau perthnasol, a'r rheiny'n gwybod be' oeddan nhw'n wneud, mae'n siŵr, wrth ein gosod ni yn y cartra. Mae'n rhaid fod Nhad, yn naturiol, yn anfoddog o weld hyn yn digwydd, gan iddo drio bob sut i'w nadu, ond eto'n gorfod wynebu'r sefyllfa ac ildio i'r drefn.

Mae gen i gof digon pendant o hyn. Rwy'n sôn am 1951, a minnau bellach yn chwech oed. Mae gan blentyn o'r oedran hwnnw gof gweddol glir o ddigwyddiadau er, hwyrach, heb sylweddoli'r ffeithiau'n iawn. Dwi'n cofio mai Monica a Malcolm aeth gynta. Babi mewn breichiau oedd Malcolm, heb fod yn flwydd oed, tra roedd Monica'n rhyw dair oed. Roedd hi'n amlwg mai nhw fasa'n mynd gynta. Roedd Nhad, mae'n rhaid, yn falch fod ganddo ddau o'i blant ar ôl.

Roeddan ni'n byw yn Gwyndy Terrace, reit ar sgwâr y Llan, rhyw hen dŷ bach roedd Nhad yn ei rentu. Dwi'n cofio, un min nos, gweld nifer o oedolion ar yr aelwyd. Roedd y penderfyniad i'n rhoi ni mewn gofal wedi achosi cryn gynnwrf yn y pentra a chriw wedi dod ynghyd.

Daeth yr amser i Mam ddychwelyd i'r ysbyty ac rwy'n cofio Nhad, neu rywun arall, yn deud wrtha'i, 'Dos i fyny i ddeud ta-ta wrth dy fam'. Minnau'n dringo i'r llofft a Mam yn sâl yn ei gwely. Eistedd ar yr erchwyn a hithau'n cydio amdanaf a deud wrtha'i am fod yn hogyn da ac y deuai i 'ngweld i'n fuan. Deud yn Saesneg, wrth gwrs, ac er fy mod i'n ei dallt hi, wyddwn i ddim beth oedd yn digwydd.

Aeth Mam yn ôl i'r ysbyty a dyma Maureen yn ymuno â Malcolm a Monica ym Mryn Llywelyn. Fi, bellach, oedd yr unig un oedd ar ôl.

Rwy'n hoffi meddwl fod Nhad yn falch 'mod i ar ôl. Er

nad fi oedd bach y nyth, roedd ganddo fo un, o leiaf, o'r plant i lynu wrtho ar yr aelwyd. Fe fyddwn i'n galw yn nhŷ Nain ar fy ffordd o'r ysgol i gael fy nhe ond roedd hi'n amlwg i'r awdurdodau nad oedd y sefyllfa'n un foddhaol – hogyn chwech oed o gwmpas y lle, ei fam yn yr ysbyty a'i dad yn gweithio. Felly, er i Nhad ddal gafael ynof fi cyhyd ac y medrai, mynd fu raid i minnau.

Mae gen i gof perffaith glir o Nhad yn fy nanfon i lawr i Fryn Llywelyn amser te un pnawn. Cerdded i lawr o'r Gwyndy, heibio tu blaen y Pengwern Arms ac i lawr stryd Tynymaes. Mae cefn cartra Bryn Llywelyn i'w weld led cae i ffwrdd. Rhyw chwartar milltir oedd y daith i gyd a Nhad yn mynd â mi law yn llaw. Wn i ddim sut oedd o'n teimlo. Fedra'i ddim yn fy myw roi fy hun yn ei sefyllfa fo. Roeddwn i, wrth gwrs, yn rhy ifanc i weld y pictiwr go iawn. Meddwl dim mwy nad oeddwn i'n ymuno â 'mrawd a'm dwy chwaer.

Dyna be' oeddwn i'n wneud, wrth gwrs. Wyddwn i ddim bryd hynny y byddwn i'n treulio bron i ddeuddeng mlynadd ym Mryn Llywelyn. Byddai pymtheng mlynadd yn mynd heibio cyn y câi Mam ddod allan o'r ysbyty. Pymtheng mlynadd cyn y bydden ni'n deulu cyfan unwaith eto.

Fe wnes i fynd i Fryn Llywelyn yn blentyn chwech oed. Fe fyddwn i'n dod allan yn ddyn ifanc.

Plant y Bryn

Yng nghartra Bryn Llywelyn roedd dros ddeugain o blant, y cyfan yno am wahanol resymau. Caem ein hadnabod oll fel Plant y Bryn.

Câi'r plant eu gosod mewn gofal am bob math o resymau. Roedd tor-priodas, y dyddiau hynny, yn ddigon o reswm. Plant mamau dibriod wedyn. Roedd bod yn fam ddibriod yn dal yn stigma bryd hynny ac, yn aml, fe gâi'r plentyn, os na fyddai cefnogaeth i'r fam ar ei haelwyd ei hun, ei gymryd oddi arni a'i osod mewn cartra. Fe gâi'r fam ei diarddel o'r capal neu'r eglwys hefyd, a hynny'n gyhoeddus yn aml. Byddai plant amddifad wedyn, heb rieni o gwbwl yn cael eu gosod mewn gofal hefyd. A phlant fel ni, plant na allai eu rhieni, am wahanol resymau, ddygymod â nhw. Roedd enghreifftiau o'r cyfan ym Mryn Llywelyn.

Ar fy niwrnod cynta mae'n rhaid i mi fynd drwy'r drefn arferol, cael fy arwain i'r llofft lle byddwn i'n cysgu, cael bath, a chael fy ngwisgo yn nillad y cartra. Un o'r pethau cynta wnes i, yn naturiol ddigon, oedd chwilio am fy mrawd a'm chwiorydd.

Ond roedd yno drefn arbennig. Doedd pawb ddim yn yr un man. Byddai'r plant bach mewn un adran, ac yno yr oedd Malcolm; Monica ymhlith y merched ieuengaf a Maureen yn adran y merched hŷn. Golygai hynny na fedrwn i fod gyda nhw i gyd ar yr un pryd. Yn hytrach na bod yn aelod o uned deuluol o chwech fel cynt, roeddwn i'n aelod o un teulu mawr, ond yn unigolyn – ac yn aml yn unig – ymhlith y rheiny.

Nid ni oedd yr unig deulu cyflawn ym Mryn Llywelyn. Roedd brodyr a chwiorydd eraill yno ac, fel ninnau, fe gâi rheiny hefyd eu gwasgaru o fewn y cartra. Mi fedra'i gofio brawd a chwaer o'r enw Gwyrfai a Joyce Roberts, plant lleol o odrau'r Manod. Roedd yno hefyd dri brawd Jenkins: Ronnie, John a Kenneth. Dau frawd arall oedd Charles a Robert Bidder – daeth Charles a minnau'n ffrindiau mawr. John, Idris, Mair a Clara wedyn, teulu o ochra Trawsfynydd.

Roedd yno blant mawr, plant wedi tyfu'n ddigon hen i weithio neu i ymuno â'r lluoedd arfog. Yr unig gartra fyddai ganddyn nhw pan ddeuent adra ar wyliau neu ar *leave* fyddai Bryn Llywelyn.

Roedd y cartra wedi bod mewn bodolaeth ymhell cyn i mi fynd yno. Ar un adeg roedd cartra tebyg wedi bod yn ochrau Corwen ond, oherwydd i hwnnw gael ei ail-leoli, daeth rhai o'r plant hynny i Fryn Llywelyn. Ymhlith y plant mawr fe fedra'i gofio Mary a Michael Bennett, oedd wedi dod o gartra Corwen. Aeth Mary ymlaen i astudio i fod yn nyrs yn y Royal yn Lerpwl, gan ddod yn ôl bob gwyliau. Aeth Michael i weithio i gwmni o adeiladwyr yn ardal Wallasey ac fe ddeuai yntau'n ôl bob gwyliau. Fe sefydlodd ei gwmni ei hun yn ddiweddarach.

Yn ein hachos ni, lle'r oedd tad na fedrai ofalu am ei bedwar plentyn oherwydd salwch y fam, synnwyr cyffredin oedd yn gyfrifol am i ni gael ein cymryd mewn gofal. Cyngor Meirionnydd, mae'n rhaid, oedd yn gweinyddu'r cynllun. A da o beth oedd iddo fodoli. I ble fasa ni wedi mynd fel arall? Beth fyddai wedi digwydd i ni? A fydden ni, falla, wedi mynd oddi ar y cledrau? Dwi'n siŵr na fyddwn i wedi llwyddo i'r graddau wnes i oni bai am y gofal a gefais i yno.

Mae'n bosib cymharu llwyddiant un o Blant y Bryn ag un o blant Barnardos. Mae llwyddiant, rhywsut, yn groes i ddisgwyliad pobol, yn eithriad yn hytrach na rhywbeth cyffredin. Yr enghraifft orau o lwyddiant un o blant Barnardos, mae'n debyg, yw'r awdur Leslie Thomas. Mae o'n falch o gael arddel y ffaith mai un o blant Barnardos ydi o. Colli'i dad yn y Rhyfel wnaeth o a'i frawd, a'i fam yn methu dygymod â'r sefyllfa. Fe gofnododd ei atgofion yn *This Time Next Week* ac mae o hefyd yn awdur nifer o nofelau, wrth gwrs.

O fynd i Fryn Llywelyn yn chwech oed, welais i mo Mam wedyn nes oeddwn i'n ddyn ifanc. Fe gollais i'r cariad naturiol oedd yn bodoli rhwng mam a'i phlentyn. Y cofleidio, y cysuro – y cofleidio yn arbennig. Felly, edrych yn ôl fel oedolyn ar gyfnod plentyndod yw'r unig beth fedra i ei wneud.

Does dim dadl nad oedd yna stigma yn perthyn i'r cartra. 'Hen blant Bryn' oeddan ni i lawer o'r bobol leol, ac fe fyddai'r stigma yn dod i'r wyneb yn ddigon aml. Edrychid yn wahanol arnom ni nag ar blant a ystyrid yn blant cyffredin. Cyn i ni fynd i'r cartra, plant Huw Morris, neu blant Huw Môr fydden ni ond, wedi i ni fynd i'r cartra, 'hen blant Bryn' oeddan ni.

Fe fydden ni'n dal i fynd i'r ysgol gynradd leol, wrth gwrs. Byddai ugain a mwy ohono ni'n gadael am yr ysgol bob bore, pawb wedi'u gwisgo'n dwt. Ac, o sôn am ddillad, gan y byddai cymaint o blant yn y cartra fe fyddai llawer o waith golchi byth a hefyd. Fe fydden ni'n baeddu'n dillad fel unrhyw blant ar unrhyw aelwyd ac fe fyddai angan golchi'n crysau, y tronsiau a'r festiau. A'r *liberty bodices*. Hwyrach bod angan esbonio beth oedd y rhain. Gwasgod fach oedd y *liberty bodice* gyda botymau pres wedi'u gorchuddio â rwber.

Wrth fynd i'r ysgol fe fyddwn i'n teimlo fel nionyn. Y *liberty bodice* dros y fest, wedyn crys, wedyn siwmper a wedyn côt. Sanau penglîn llwyd wedyn, a'r rheiny i lawr dros y sgidiau yn hytrach na bod dros y coesau. A chap ysgol, wrth gwrs.

Ond y *liberty bodice* oedd y bwgan, yn arbennig ar adeg chwaraeon. Fe gâi ei ystyried yn beth merchetaidd, a weithiau fe fyddwn i'n diosg yr erthyl ar y ffordd i'r ysgol a'i guddio mewn twll yn y wal. A cofio'i nôl o a'i ail-wisgo ar y ffordd adra.

Roedd gan bawb ohonom ei rif personol a'r rhif hwnnw'n cael ei roi mewn inc annileadwy ar gefn y dillad a'i wnïo ar y sanau. Fy rhif i oedd 14, felly, unrhyw ddilledyn oedd yn perthyn i mi, fe fyddai'r rhif hwnnw arno. Roedd y cyfan fel trefn filwrol a, hyd heddiw, pan fydda i'n prynu tocyn raffl neu lotri, mi fydda i'n dewis y rhif 14. Fues i ddim yn lwcus hyd yma.

Ond, beth bynnag am drefn a disgyblaeth, doedd dim modd osgoi'r teimlad fod rhai yn edrych arnom braidd yn amheus. Roedd yna awgrym ein bod ni'n betha drwg. Nid nad oedd pobol yn cydymdeimlo â ni ac, yn achos ein teulu ni, yn cydymdeimo'n fawr â Nhad. Roedd anffawd wedi digwydd iddo fo, un o blant y fro. Ond fe gâi rhai pobol hi'n anodd i ymateb i'r sefyllfa.

Byddai rhai siopwyr, er enghraifft, yn barod eu

cymwynas ac yn ymateb drwy dosturio droston ni, ond i
eraill, 'hen betha Bryn' oeddan ni o hyd. Weithiau fe
fyddai criw ohono ni'n loitran ar y ffordd adra o'r ysgol i
chwara gyda phlant y pentra. Ond fe fyddai ambell
oedolyn yn ein gyrru oddi yno ac yn annog plant y
pentra i beidio chwara hefo ni. Bron iawn na fydde
nhw'n ein danfon ni at ddrws y cartra a deud, 'Ewch!
Shŵ!' Ac, wrth gwrs, fe fydden ni'n holi 'Pam?' gyda
rhyw lwmpyn yn dod i'n gyddfau.
    Erbyn hyn rwy'n sylweddoli mai ganddyn nhw oedd y
broblem. Nhw oedd yn methu dygymod â'r sefyllfa. Fe
fedra i ddychmygu sawl sgwrs ar sawl aelwyd yn y Llan
bryd hynny, 'Ew! Bechod fod plant Huw wedi gorfod
mynd i'r cartra'. Ond roedd hi'n stori arall pan fydde
nhw wyneb yn wyneb â Nhad. Fe fyddai rhywbeth yn eu
dal nhw 'nôl. Yn hytrach na wynebu'r sefyllfa, roedd hi'n
haws sgubo popeth dan y mat. Mae hyn wedi aros gyda
mi gydol fy oes.
    A chystal gwynebu'r sefyllfa: roeddan nhw, lawer
ohonyn nhw, yn edrych i lawr ar blant y cartra. Naill ai
doeddan nhw ddim yn dallt neu ddim yn dewis dallt. Fe
gâi pawb ohonon ni ein gosod yn yr un fasged i ddioddef
yr un stigma. Iddyn nhw, 'Plant Cartra' oeddan ni.
    Roedd yna rhyw islais o 'ni' a 'nhw'. Pan welai rhywun
ni'n chwara, y cwestiwn cynta fydda, 'Plentyn pwy wyt
ti?' Hwyrach y byddai eraill yn gweld y peth yn wahanol
ond fel hynny oeddwn i'n ei gweld hi. Ac rwy'n credu
'mod i'n ddigon sensitif i wybod hynny. Mae gen i glust
dda a chof da. A dydw'i ddim yn meddwl chwaith 'mod
i'n gwneud peth mawr allan o beth bach. Roedd yr
agwedd honna'n bod.

Un peth fyddai'n digwydd yn aml fyddai rhywun yn dod ata'i a deud, 'Hei, un o blant Bryn Llywelyn wyt ti, ynte?' Ac fe fyddwn i'n gwrido. Bron na chlywn i'r ceiliog yn canu deirgwaith wrth i mi ystyried gwadu hynny, 'Cans nid adwaen i ddim mohono'. Roeddwn i mewn sefyllfa lle nad oeddwn i am i bobol wybod 'mod i'n un o blant Bryn ac fe fyddwn i'n gwrido ar ei gownt o. Yn cywilyddio, dyna'r gair.

Hyd yn oed pan oeddwn i'n hŷn ac wedi gadael y cartra a rhywun yn fy atgoffa fy mod i'n un o blant Bryn Llywelyn, fe fyddwn i'n ceisio newid y pwnc rhag gorfod siarad am y peth.

Un peth y dylwn i ei bwysleisio, o ystyried nifer o sgandalau mewn cartrefi plant yn y gogledd yn ystod y chwech a'r saithdegau, ni fu unrhyw awgrym, unrhyw arlliw o sgandal ym Mryn Llywelyn. Fedran ni ddim bod wedi cael gwell gofal.

Mae amryw wedi gofyn sut oedd hi arnon ni, ac a oeddan ni'n gorfod mynd heb unrhyw beth. Os rhywbeth, fe fydden ni'n cael mwy nag a gaen ni adra. Adeg 'Dolig, a dwn i ddim sut y câi o ei wneud, ond fe fyddai pobol garedig, cyfeillion y cartra, fel petai, yn ein mabwysiadu ni drwy roi presantau i ni, galw i'n gweld ni a mynd â ni allan am y dydd. O ochrau Caer y deuai llawer ohonyn nhw. Mi oeddan nhw'n aelodau o rhyw gymdeithas neu'i gilydd. Bob 'Dolig fe fyddai yna bresantau yn cyrraedd, wedi'u lapio'n ddel. Fe gaen ni'r presantau ystrydebol, wrth gwrs, oren ac afal yn yr hosan, ac o sach Siôn Corn a ddeuai i'r capal ac i'r *Band of Hope*, fo hefyd oedd y Siôn Corn a ddeuai i'r cartra bob blwyddyn, sef Gwyn Davies. Fe gaen ni hefyd bresantau gan berthnasau.

Wedyn, ar ôl cinio 'Dolig, fe fyddai presantau ar ein cyfer o dan y goeden Nadolig, wedi eu danfon gan y bobol ddiarth hynny. Ninnau wedyn yn sgwennu atynt i ddiolch. Hyn eto yn rhan o'r fagwrfa dda. Ychydig ddyddiau wedi Dydd 'Dolig, allan y deuai'r papur a'r bensel er mwyn sgwennu i wahanol yncls ac antis answyddogol i ddiolch am yr anrhegion ac i ddeud sut oeddan ni wedi mwynhau'r 'Dolig. I ni, roedd hyn yn gyfle i ddysgu'r cwrteisi o ddiolch, ac i'r rhoddwyr, mae'n rhaid fod hyn yn rhoi pleser iddyn nhw hefyd.

Fe fyddai rhai o'r bobol dda hyn yn mynd ymhellach drwy alw yn y cartra i ymweld â ni a mynd â ni allan am y dydd. Fe allai hyn fod yn gam tuag at fabwysiadu neu feithrin. Rwy'n cofio un teulu yn cael eu mabwysiadu – pedwar o blant – Michael Bach, Sheila, David a Robert. Fe aethon nhw at rieni maeth yn ochra Maentwrog.

Rwy'n cofio teulu o ardal Tywyn yn galw i fynd â mi allan. Mi oeddan nhw'n cadw gwesty, y Corbett Arms, os dwi'n cofio'n iawn. Roeddwn i tua deg oed ac rwy'n cofio fod ganddyn nhw ferch o'r enw Felicity. Rwy'n cofio disgwyl amdanyn nhw yn fy nillad gora. Fe aethon nhw â fi i'r Queens Hotel yn Stiniog, gwesty go grand, i gael te. Tybed a oedd ganddyn nhw fwriad i'm mabwysiadu i? Wn i ddim.

Fe ddigwyddodd rhywbeth tebyg i Malcolm – rhyw bobol o Bebbington, ger Penbedw, yn sgwennu ato a danfon presantau iddo. Fe wnaed rhyw fath o drefniadau iddynt ddod i'w nabod o'n well. Ond mae gen i ryw gof i Nhad atal y peth rhag mynd ymhellach. Er iddo fo'n gosod ni yn y cartra, doedd o ddim am olchi ei ddwylo oddi arnon ni. Mi oedd o'n dal yn dad i ni ac fe gadwai gysylltiad rheolaidd. Bob dydd Sadwrn yn ddifeth, oni bai ein bod ni i ffwrdd ar drip neu rwbath, fe fydden ni'n cael mynd adra at Dad.

Ar ddydd Sadwrn hefyd fe fydden ni'n cael pres poced, pishyn chwech i'r plant lleiaf, naw ceiniog i rai ychydig yn hŷn a swllt a chwech i'r plant mawr. Mi oedd cyfran o'r swllt a chwech yn cael ei gadw 'nôl ar gyfer mynd ar wyliau.

Bob 'Dolig hefyd fe gaen ni fynd i'r pantomeim yn yr Empire yn Lerpwl. Mynd ar y bws, cinio yn Lewis' ac yna ymlaen i'r theatr. Dod adra yn hwyr y nos a theimlo i ni fod ar antur fawr.

Yn ymddangos yn y pantomeim fe fyddai'r sêr i gyd, Brian Reece, sef yr enwog PC49; y ddeuawd Jimmy Jewell a Ben Warris; Hylda Baker; Jimmy Clithero, neu'r Clithero Kid. A Ken Dodd, a oedd yn dechra gwneud enw iddo'i hun, yn actio rhan Buttons.

Un tro fe gawson ni weld *Snow White on Ice*. Profiad bythgofiadwy, a chredu pob dim a welais i. Ac wrth edrych nôl, rwy'n siŵr i'r profiadau hyn gael dylanwad arna'i gan fy ysgogi i fynd i mewn i waith llwyfan a theledu'n ddiweddarach. Y goleuadau, y miwsig, y gwisgoedd, yr holl *razzmatazz*.

Cael mynd i'r Empire bob blwyddyn, mwy nag oedd y rhan fwyaf o blant y Llan yn ei gael. Enghraifft arall o fanteision byw ym Mryn Llywelyn.

Rhan o'r antur oedd cael mynd drwy'r Mersey Tunnel. Bob blwyddyn 'run fath, cyfrif nifer y *fire hydrants* oedd yno, fel petai'r nifer yn newid o flwyddyn i flwyddyn.

Mae 'na fforch yng nghanol y twnnel gydag un ffordd yn arwain tua Wallasey ac, o weld yr arwydd, fe fydden ni'n cofio am lwyddiant un o'r hogia mawr. Fe gyfeiriais i eisoes at Michael Bennett, a oedd wedi cychwyn ei fusnes adeiladu ei hun yno. Un flwyddyn fe drefnodd o i ni ei gyfarfod o. Ac yno yn y dociau rwy'n cofio gweld y leiner *Empress of Canada*, un o'r llongau teithwyr mwyaf yn y byd ar y pryd.

Bob mis Awst fe fydden ni'n mynd i'r Bermo am fis o wyliau. Fe fyddai trefnu gwyliau i deulu o ddau neu dri yn dasg ddigon anodd ond, o Fryn Llywelyn fe fyddai'r cartra cyfan yn codi pac a symud i lan y môr am fis. Y loris fyddai'n cyrraedd gynta. Fe fyddai'r hogia mawr yn helpu i lwytho loris Pierce and Sons o Benrhyn-deudraeth. Llwytho'r rheini â basgedi gwiail yn llawn blancedi a chynfasau. A *camp beds* wedyn. Nid mynd i aros mewn gwesty oeddan ni ond lletya yn un o ysgolion cynradd Y Bermo ar Beach Road.

Ar ôl llwytho'r loris fe gâi'r hogia mawr deithio yn y cefn. A'r fath hwyl gaen ni wrth godi llaw a gwneud stumiau ar bobol fydde ni'n eu pasio ar y ffordd drwy Harlech am Y Bermo. Fe gâi'r plant bach eu cludo mewn bysus. Dyna fendith arall o gael bod yn y cartra – oni bai am Fryn Llywelyn, fyddwn i ddim wedi cael gweld glan y môr mor gynnar yn fy mywyd.

Ar gyfer y mis o wyliau bob Awst fe fydden ni'n gwisgo siorts *khaki* a chrys o'r un lliw, sanau penglin llwyd a sandalau. Ac, yn fy achos i, pob dilledyn yn cario rhif 14. Fe gâi'r plant bach fynd gyda Miss Lloyd a Miss Davies, dwy o ochrau Talsarnau. A dyna lle bydden ni am fis, yn chwara gemau a nofio. Roedd traeth Y Bermo yn medru bod yn beryglus gan fod y llanw'n gryf iawn. Yn ystod un tymor rwy'n cofio i gymaint â hanner dwsin foddi yn y cyffiniau. Fe fyddwn i'n cael hunllefau am y peth. Ar y cei roedd adeilad cerrig lle cedwid cyrff ac fe fyddwn i'n arswydo o weld y lle.

O dyfu'n hŷn, fe gawn i fwy o ryddid i fynd fy ffordd fy hun a chael cyfrifoldebau, fel rhyw fath o fonitor. Roedd gofyn i ni fod yn ôl ar gyfer amserau bwyd a gyda'r nos ond fyddai dim angan watsh gan fod tŵr yr eglwys a'i gloc i'w weld o bobman.

Un o'm ffrindiau yn y cyfnod hwnnw oedd Charles Bidder. Rwyf wedi colli cysylltiad ag o bellach, fel gyda bron pawb o'm cyfoedion o'r cyfnod ym Mryn Llywelyn. Ond, yn rhyfedd iawn, fe wnes i gyfarfod ag un ohonynt ychydig dros ddeng mlynadd yn ôl – yn Awstralia, o bobman pan oeddwn i ar daith yng nghwmni Côr Godre'r Aran. Roedd Maureen, fy chwaer, wedi cadw cysylltiad â Vera Clark Jones, a oedd wedi symud i Melbourne. Fe drefnais i gyfarfod â hi ac fe wnes bwynt o fynd â rhodd iddi, llun mawr wedi'i fframio o blant Bryn Llywelyn ar Ddydd Nadolig, adeg ymweliad Sion Corn, llun hapus o'r hen ddyddiau. Roedd Vera, Maureen a minnau yn y llun.

Ond yn ôl at Charles Bidder. Fe fyddai'r ddau ohono ni'n llogi cwch rhwyfo yn harbwr Y Bermo a dyna lle bydden ni'n rhwyfo yn ôl ac ymlaen i ynys fach yng nghanol y bae a oedd wedi'i chodi i atal y llanw. Sgota crancod wedyn, taflu lein dros wal yr harbwr a chodi'r crancod i fyny.

Fe fydden ni'n gwneud ffrindia â'r plant lleol, yr Hills, yr Alldays, y Porters a'r Shones, plant rhai o brif deuluoedd y dre. Fe fydden nhw'n dysgu pob math o gastiau i ni. Un ohonynt fyddai dwyn poteli pop gweigion o gefn Woolworths a'u gwerthu nhw nôl i'r siop dros y cownter. Ffordd dda o wneud pres, nes i un o'r bechgyn lleol gael ei ddal.

Pan oeddwn i tua phedair ar ddeg oed fe lwyddais i gael joban fach yn golchi llestri yn y Royal Hotel am ychydig sylltau'r dydd. Wedyn fe fues i'n cario allan i siop Dennis Lloyd, gan ennill pres poced ychwanegol i'w wario yn y ffair wagedd.

Fe fydden ni'n dal i fynd i'r capal tra ar wyliau, capal Park Road, a byddai'r cyhoeddwr yn ein cyfarch ni a'n croesawu ni o'r sêt fawr i'r gwasanaeth boreol bob Sul.

Ddiwedd Awst fe fyddai'r tymor pêl-droed yn cychwyn. Doedd dim tîm yn y Llan ond fe gaen ni gyfle yn Y Bermo i gefnogi'r tîm lleol, y Magpies.

Fe fydden ni'n edrych ymlaen drwy'r flwyddyn at y mis o wyliau ar lan y môr ac mae gen i dipyn o feddwl o'r Bermo o hyd. Mae hi'n dre sy'n agos iawn at fy nghalon.

Metron a Mistar

Y Metron a'r Mistar oedd yng ngofal Bryn Llywelyn. Metron oedd Mrs C. D. Jones, dynas hynod garedig a oedd yn ail fam i mi. Yn wir, yn ail fam i ni i gyd. Roedd hi'n ddynas addfwyn iawn, bob amser yn garedig mewn gair a gweithred, yn union fel tasa ni'n blant iddi.

Er ei bod hi'n briod â'r Mistar, doedd ganddyn nhw ddim plant ac roedd hynny'n rheswm arall dros iddi feddwl amdanon ni fel ei phlant hi ei hun, dros iddi roi o'i gora i ni. Nid nad oedd hi'n barod i ddeud y drefn pan oedd angan. A doeddan ni ddim yn angylion, ddim o bell ffordd.

Ond, yn union wedi i mi symud i'r cartra, fe es i drwy gyfnod o gael hunllefau a chodi o'r gwely ganol nos. Codi a cherdded yn fy nghwsg a sgrechian ar ganol breuddwyd. Fyddwn i ddim yn cofio'r freuddwyd wedyn ond mae'n rhaid i mi fynd drwy hunllefau. Ond, mi fyddai'r Metron yn codi ac yn fy nghysuro.

Rwy'n rhyw feddwl, wrth edrych yn ôl, a rhyw seico-analeiddio fy hunan, y buasai seiciatrydd heddiw yn gofyn ai'r trawma o ail-setlo ar ôl gadael yr aelwyd gynhenid yn y Llan oedd yn gyfrifol am hyn. Eto'i gyd, wnaeth fy mrawd a'm dwy chwaer ddim dioddef o'r broblem hon, dim i mi gofio. Ond fe fûm i drwy gyfnod ofnadwy. Eto, fe wyddwn fod Metron wrth law i'm cysuro a buan iawn y gwnes i setlo a dygymod â'r ffaith fy mod i mewn cartra plant a'i dderbyn fel bywyd naturiol.

Dydw'i ddim wedi siarad â'm dwy chwaer a'm brawd, nac ychwaith â rhai o'r plant eraill oedd yn y cartra am eu hatgofion nhw. Dim ond baban oedd Malcolm pan aeth o yno, wrth gwrs, felly fasa fo ddim yn cofio'r bywyd cyn Bryn Llywelyn. Felly hefyd Monica i raddau helaeth. I Malcolm a Monica doedd byd cyn y cartra plant ddim yn bod. Ond roeddwn i'n cofio. Roeddwn i'n cofio mynd allan i chwara fel plentyn o'r pentra gyda chyfeillion o'r pentra oedd yr un oedran â mi.

Dydw'i ddim wedi holi Maureen, sydd ddwy flynedd yn hŷn na mi, am hyn. Rhywbeth personol i mi oedd o, a dyna beth ydi o rŵan. Mater o fyw a bod oedd o. Fe gâi pawb ohonom ein trin yn garedig dros ben, cael y bywyd gora posib, cael bwyd yn ein boliau a dillad ar ein cefnau. Ond er bod Metron fel ail fam i ni, cartra plant oedd o.

Dydw'i ddim yn credu y medrwn i ddeud fod y Mistar yn ail dad i mi. Doedd o ddim yn cyrraedd y categori hwnnw. Ond roeddwn i'n meddwl y byd o Metron, pan oeddwn i yno ac ar ôl i mi adael, ac mi fyddwn i'n meddwl fod Plant Bryn i gyd yn teimlo felly amdani. Fe gysegrodd ei bywyd i ofalu am blant pobol eraill, plant a oedd, oherwydd gwahanol sefyllfaoedd a chefndir, wedi cael eu danfon yno.

Mae rhai pobol yn meddwl o hyd am fywyd cartra plant fel profiad caled. 'Bechod am blant yr *homes*, yn tydi?' Dyna'r agwedd. Rwyf wedi cael rhai yn deud wrtha i, 'Ti wedi gwneud yn dda a meddwl am dy blentyndod, a meddwl mai un o blant y cartra wyt ti.' Mae eraill yn meddwl yr un fath ond heb ddeud hynny yn fy ngwyneb.

Ond y gwir amdani yw fod y cyfle yno i ni i gyd wneud yn dda. Hynny am fod y sefyllfa yn cynnig sadrwydd i ni, sadrwydd a gofal a disgyblaeth. A Metron, yn arbennig, am i ni i gyd wneud yn dda. Mi oedd Bryn Llywelyn fel adra. Gwell nag adra i rai.

Rwy'n deud o hyd fod Metron yn ail fam i mi ond fy mam go iawn i oedd Daphne Jones, wrth gwrs. Mae gen i gof i mi fynd i weld Mam ryw un waith yn Ninbych, a hynny cyn i mi fynd i'r cartra. Y pictiwr sydd gen i yn fy meddwl yw gweld yr adeilad anferth yma o'r giât fawr. Mae o wedi cau bellach, wrth gwrs, ond mae o'n adeilad mawr. Ac i blentyn pump oed, roedd o'n adeilad anferth. Dwi'n ei weld o rŵan. Roedd hi wedi tywyllu erbyn i mi adael ond rwy'n cofio mynd i mewn efo Nhad a dwi ddim yn cofio neb arall. Hwyrach fod Maureen yno ond yn sicr, doedd y ddau arall ddim yno. Rwy'n cofio Mam yn rhoi rhyw ffrwythau i mi ac, yn eu plith, eirinen wlanog. Rwy'n cofio hefyd gyrru oddi yno o'r ysbyty tua'r giât fawr, minnau yn eistedd yn sedd ôl y car ac yn edrych yn ôl ar yr adeilad ac ar y golau – cant a mwy o ffenestri a golau ymhob un ohonyn nhw. Rwy'n cofio codi fy llaw yn ffenest ôl y car a meddwl tybed ydi Mam yn fy ngweld i?

Er holl garedigrwydd Metron tuag at dros ddeugain ohonon ni yn y cartra, doedd hi ddim yn medru gofalu amdanon ni i gyd ar ei phen ei hun, wrth gwrs. Roedd ganddi gynorthwywyr. Nid nyrsus mewn lifrai ond merched ifanc lleol, gan fwyaf, mewn ofyrôls. Rheiny wedyn yn hynod garedig, rhai ohonyn nhw'n cysgu i mewn. Rwy'n cofio Miss Williams Llan, Miss Jane Williams oedd yn byw ar draws y ffordd i'r Gwyndy, i bob pwrpas. Fe fyddai hi'n gyfarwydd â'n cefndir ni, wrth gwrs. Y gwir amdani oedd fod pawb yn adnabod pawb, ac mae'n bosib eu bod nhw felly yn fwy tosturiol a gofalus. Fe fyddwn i'n dal i gyfarfod â Miss Williams yn awr ac yn y man wedi i mi adael Bryn Llywelyn, a hithau wrth ei bodd yn deud iddi fy ngweld ar y teledu neu fy nghlywed ar y radio neu ddarllen fy hanes yn y papur.

Rwy'n cofio Miss Williams arall hefyd. Ar Faes Eisteddfod Y Bala ychydig flynyddoedd yn ôl, dyma ddyn tua deg ar hugain oed yn dod ata'i. Gweithio yno ar ran un o undebau'r ffermwyr oedd o. 'Dach chi'n cofio Mam?' medda fo. Fedrwn i ddim meddwl pwy oedd ei fam ond dyma fo'n mynd ymlaen, 'Mae Mam yn deud mai hi wnaeth eich magu chi ym Mryn Llywelyn.' Fe esboniodd mai fel Miss Nefyn Williams y byddwn i yn ei chofio hi. Pwy oedd hi, er na sylweddolais hynny tra'r oeddwn ym Mryn Llywelyn, ond merch Y Parchedig Tom Nefyn.

I gymhlethu pethau, roedd yno Miss Williams arall yn dod o Nefyn. Fe fyddwn i'n adnabod honno fel Miss Williams Nefyn. Ar ben hynny roedd yna Miss Williams Blaena. Mi oedd yna hefyd ddwy Miss Roberts – Miss Roberts Tangrisia a Miss Roberts Pantllwyd, sy'n rhan o Lan Ffestiniog. Miss Ellis oedd yn gweithio yn y gegin ac roedd hithau'n dod o Lan Ffestiniog.

Wn i ddim faint o bobol sydd wedi dod ata i i ddeud fod eu mam wedi bod yn gofalu amdana'i. Hyd yn oed fy mathio i. Finna, pan ddywedan nhw hynny, yn cochi fel bîtrwt.

Fe gawn i fy adnabod fel Meical Llan. Roedd yna hefyd Michael Bennett, a Michael Bach, oedd yn iau na mi. Roedd yna dueddiad felly i bawb gael rhyw lysenw. Roedd ganddon ni John ac Idris Traws wedyn. Rhoi labelau arnom i bwrpas oedd hyn.

Ond rywsut fe wnaethon ni lwyddo i oresgyn y cyfan. Dyna i chi ddiwrnod steddfod, er enghraifft. Roedd Metron yn awyddus i ni i gyd gymryd rhan yn Steddfod Jiwbili Y Llan, sy'n dal i gael ei chynnal gyda llaw. Adrodd, canu, cydadrodd, cydganu ac ati. Teimlai Metron ei bod hi'n bwysig i ni gymryd rhan lawn ym mywyd yr ardal. I Metron, roedd angan i ni fod fel plant pentra.

Yn allweddol ar gyfer y paratoadau roedd Mr a Mrs Gwyn Davies. Roedd Mr Davies yn ddiacon ym Mheniel a byddai ef a'i wraig yn ein dysgu ni i adrodd a chanu. Nid ceisio'n gwneud ni'n well na neb arall ond er mwyn i ni fedru cymryd rhan.

Rwy'n dal i gofio Mr a Mrs Davies ac yn meddwl y byd ohonyn nhw. A phan oeddwn i yn y cartra, dim rhyfedd i mi dyfu i feddwl fod Sion Corn yn berson caredig tu hwnt. Am ei fod o'i hun yn ddyn mor annwyl a charedig, roedd hynny'n cael ei adlewyrchu ym mhersonoliaeth Siôn Corn. I mi, Gwyn Davies oedd Siôn Corn a Siôn Corn oedd Gwyn Davies.

Fe fyddai paratoadau mawr yn y Llan ar gyfer yr eisteddfod ac felly hefyd ym Mryn Llywelyn. Ar gyfer y cydadrodd fe fyddai Parti Llywelyn, hwyrach, Parti'r Bryn ac yn y blaen. Wrth edrych yn ôl mae gen i deimlad fod Metron yn ein henwi ni felly yn fwriadol am ei bod hi'n falch ohonon ni ac am i bawb wybod pwy oeddan ni, ei theulu estynedig hi. Fe wnaeth ei phethau da hi rwbio'i ffwrdd arnom ni i gyd. A dydi o ddim gormodedd deud ein bod ni, blant Bryn Llywelyn, wedi tynnu ar ei hôl hi oherwydd iddi osod esiampl i ni a'n codi ni yn y pethau da, yn trosglwyddo i ni'r pethau gora y byddai unrhyw fam dda yn eu trosglwyddo i'w phlant. Dysgu i ni'r gwahaniaeth rhwng da a drwg. Ein sbarduno i gyrchu at y nod. I wneud ein gora bob amser.

Wedi i mi dyfu i fyny, fe ddeudodd wrtha'i unwaith am ddigwyddiad â'i cyffyrddodd yn fawr. Fe fydden ni'n mynd i gapal Peniel, yn blant ac aelodau staff, yn un teulu mawr gan lenwi tair neu bedair rhes. A dyma hi'n fy atgoffa o'r balchder a brofodd un nos Sul wrth iddi gerdded i mewn i'r capal ychydig yn hwyr. A ni, y plant, yn codi fel un i wneud lle iddi. Ei phlant yn codi iddi hi, yn dangos parch iddi. Fe wnaethon ni hynny yn reddfol, yn hollol naturiol. Nid disgyblaeth oedd yn gyfrifol am hyn. Nid defod ond rhywbeth a oedd yn dod i ni yn gynhenid.

Yn yr eisteddfod, gyda llaw, fe fyddwn i'n aelod o'r côr. A Gwyn Davies yn fy nghynghori'n garedig i beidio â chanu'n rhy uchel. Finna'n cymryd hynny fel teyrnged heb sylweddoli mai ei fwriad wrth ddeud wrtha'i am ganu'n dawelach oedd sicrhau na fyddai'r beirniad yn fy nghlywed.

Rwy'n cofio hefyd y beirniad, Peleg Williams, wedi i mi ganu solo dan saith oed yn un o dros ddeugain yn canu 'Ddoi di, Dei?' a'r beirniad wedi gorfod gwrando hyd at syrffed ac yn gweddïo am gael ffoi o blith y blodau. Dyma fo'n dod ataf fi, rhif 38, hwyrach, allan o'r deugain ac yn deud, 'A rŵan ta, Michael Lloyd Jones. Bobol bach! Dyma'i chi ganwr!' A llond y lle yn cymeradwyo. Yna'r beirniad yn ymbil am osteg cyn mynd yn ei flaen. 'Gyfeillion annwyl, baswr fydd hwn.' A'r dorf yn cymeradwyo eto cyn i'r beirniad ychwanegu. 'Ond baswr sâl gynddeiriog.'

Dyna oedd lefel fy nghystadlu i mewn eisteddfod ond fe wnes i barhau i ganu ac i adrodd. Wnes i ddim ennill gwobr gynta erioed – ail, trydydd neu bedwerydd fyddai'r gora fedrwn i ddisgwyl.

Nid fod hynny'n syndod gan y byddai'r gystadleuaeth yn un gref. Un o'r cystadleuwyr cryfaf oedd Dafydd Lloyd Jones, a ddeuai i fyny o Benrhyndeudraeth i gystadlu. Roedd ef yn rhan o'r gylchdaith eisteddfodol. Erbyn heddiw mae o'n gerddor blaenllaw ac yn cyfeilio ar gyfer rhai o brif gystadleuthau'r Genedlaethol. Mae ei ferch, Ilid, wedi gwneud enw mawr iddi hi ei hun fel offerynwraig.

Dyna Gareth Roberts wedyn, o ochrau Gellilydan, stwcyn bach fel fi ond gyda gwallt coch. Fe aeth o ymlaen i astudio cerddoriaeth yn un o golegau Llunden.

Cystadleuydd gwael oeddwn i ond roeddwn i yn cystadlu. Fel y feddylfryd Olympaidd: y cymryd rhan oedd yn bwysig, elfen arall eto o'r fagwraeth iawn. Yr unig elfen oedd ar goll oedd cariad cynhenid naturiol adra, y teimlad mamol go iawn. Er mor gariadus oedd Metron, plant Bryn Llywelyn oeddan ni wedi'r cyfan.

Fe fedra i gofio'r dydd Sadyrnau'n glir iawn. Roedd gerddi mawr a thai gwydr ym Mryn Llywelyn, gerddi lle byddai tatws a phob math o lysiau'n cael eu tyfu. Mi oedd yna lawntiau a llwybrau a *crazy paving* yn rhedeg o gwmpas y cyfan. Ein gwaith ni fyddai glanhau ac ati. Nid yn gymaint i Metron ond i Mistar. Roedd Metron yn nyrs drwyddedig a'r bathodyn ar ei llabed yn dangos iddi gael ei hyfforddi yn Lerpwl. Ond garddwr oedd Mistar, rhyw handiman a oedd yng ngofal y gerddi a'r adeiladau. Roedd o wedi cychwyn gweithio yno cyn i Metron ddod yno. Fe gyfarfu'r ddau yno a phriodi. Fo oedd y ffigwr tadol.

Mae'n siŵr fod ei fwriada fo'n dda, ond tawn i'n holi plant Bryn heddiw, dydw'i ddim yn meddwl y bydden nhw'n ei ystyried o'n ddyn neis. A deud y gwir, roedd o'n ddyn digon blin. Pan fydda ni, fel hogia ifanc, isio mynd i'r pictiwrs i Stiniog, fysa ni byth yn gofyn iddo fo am ganiatâd. Fe fydda ni'n gofyn i Metron bob tro. Weithiau fe fyddai hi, er mwyn cadw'r ddysgl yn wastad, yn deud wrthon ni am ofyn i Mistar. Petai hynny'n digwydd fe fydden ni'n gofalu deud wrtho fo ein bod ni eisoes wedi gofyn i Metron, a hithau wedi deud fod pob dim yn iawn. Wedyn doedd o ddim yn debygol o fynd yn ei herbyn hi.

Fe fyddai pawb ohonon ni'r bechgyn, o ddod i oed, yn helpu Mistar yn y gerddi. Un o'm cas bethau i fyddai chwynnu rhwng cerrig y *crazy paving*. Gwaith caled, a gwaith oer weithiau. Brwsio dail wedyn gan ddefnyddio ysgubau wedi'u gwneud gan Mistar. Gwaith arall fydda twtio'r tŷ gwydr gan fanteisio ar y cyfle i ddwyn ambell domato ar y slei.

Cas beth gen i fyddai gorfod mynd i'r caeau i hel baw defaid mewn sach. Fe fydda Mistar yn clymu ceg y sach a'i gosod mewn casgen oel yn llawn o ddŵr, pwnio'r sach wedyn â pholyn pren ac yna arllwys yr hylif ar y tomatos. Pan fyddai'r baw defaid yn galed, roedd popeth yn iawn ond, os oedd y defaid wedi bod yn pori mewn gwelltglas rhy fras, roedd hi'n stori wahanol.

Roedd yn y cartra hefyd gwt boiler a byddai angan

cadw hwnnw i fynd er mwyn gwresogi'r dŵr a'r stafelloedd. Byddai rota ar gyfer llenwi'r grât â golosg. Dyletswyddau oedd y rhain i gyd, dyletswyddau na wnaeth unrhyw ddrwg i ni erioed.

Fe fyddai cynnwys y gerddi yn mynd tuag at fwydo plant a staff y cartra, er y byddai Mistar yn gwerthu ambell focsiad o domatos i'r siopau. Roeddwn i'n casáu garddio. Dyna pam, pan brynais fy nhŷ fy hun, i mi orchuddio'r ardd gefn â choncrid.

Dydd Sadwrn fyddai'r diwrnod pwysig o ran gwaith. Byddai trefn bendant ar gyfer y penwythnos: gweithio bora Sadwrn, wedyn newid i ddillad chwara. Dydd Sul: codi yn y bore i ddillad capal, dod adra a newid i ddillad chwara, cinio a newid i ddillad capal ar gyfer yr Ysgol Sul, dod adra a newid eto i ddillad chwara, te bach a newid eto i ddillad capal ar gyfer gwasanaeth nos.

Ar gyfer dydd Sul roedd angan dysgu adnod neu ran o'r Holwyddoreg neu Rodd Mam. Ac, o fethu â dysgu adnod, dim pres poced. Ond, fel arfer, o ddeud adnod wrth Mistar, fe gaen ni bres poced ac yna arwyddo amdano fo.

Hwyrach 'mod i'n ymddangos braidd yn galad ar Mistar: mi oedd yna ochr ddigon caredig iddo fo hefyd. Weithiau fe âi a phedwar neu bump ohono ni yn y car i'r Rhyl neu i Gaernarfon i weld gornestau bocsio amatur. Cymru'n bocsio yn erbyn yr Alban, Iwerddon neu Loegr. Rwy'n cofio gweld bocswyr fel Nancurvis a Lennie Williams a hefyd Dick McTaggart o'r Alban.

Ia, Metron a Mistar, hi yn angyles, ef yn iawn yn ei ffordd. Y ddau yn fawr eu gofal ohonan ni. Ond nid Nhad a Mam oeddan nhw.

Profiadau Trydanol

Fe ddaeth hi'n amser i mi sefyll fy arholiadau Lefel 'O' ac fe sefais ddeuddeg pwnc. Fe wnes i basio un – *Special Arithmetic*.

Fe fu hyn yn siom fawr i mi gan fy mod wedi meddwl y baswn wedi pasio Ysgrythur, o leiaf, gan i mi ar un adeg ystyried mynd i'r weinidogaeth. Roedd gen i gywilydd hefyd i mi gael canlyniadau mor siomedig, nid cywilydd ar fy rhan fy hun ond cywilydd am i mi adael Metron a'r cartra i lawr.

Cyn yr awydd i fynd i'r weinidogaeth roeddwn wedi ystyried mynd i'r môr. Roedd nifer o hogia mawr Bryn wedi gwneud hynny. Un ohonynt oedd Reggie. Rwy'n cofio amdano'n dod adra am y tro cynta mewn lifrai smart a'r geiriau *HMS Ganges* ar ei frest. Mae'n rhaid fod hyn wedi cael dylanwad arna'i gan fy mod yn awyddus i'w ddilyn i Gravesend i'r ganolfan hyfforddi ar gyfer y Llynges Frenhinol.

Roedd gen i awydd i weld y byd. Ac awydd hefyd, yn yr isymwybod, i dorri'n rhydd o'r cocŵn cynnes, esmwyth oedd y cartra wedi ei wau o'm cwmpas. Roeddwn i'n treulio llawer o amser y tu mewn i mi fy hun. Hwyrach fy mod i, felly, am ddianc.

Mae hyn yn ddealladwy wrth i mi edrych yn ôl. Roeddwn i wedi troi i fod yn gymeriad mewnblyg, yn annibynol fy natur. Mi fyddwn yn treulio llawer o amser yn llyfrgell y cartra lle y darllenais bob cyfrol oedd yn y lle, o Enid Blyton ymlaen. Fe fyddwn i'n eistedd yn y ffenest gron fawr gan dreulio oriau yn darllen y tu ôl i'r llenni. Darllen papurau newydd wedyn. Cael eu benthyg ar ôl i Metron a Mistar orffen â nhw a chael blas mawr ar hynny.

Ond roedd y môr yn cynnig dihangfa ac fe wnes gais i gael dilyn Reggie i Gravesend. Dim yn unig fe gawn i'r cyfle i dderbyn hyfforddiant morwrol, byddai cyfle hefyd i ddysgu crefft. Ond doedd Nhad ddim yn awyddus i'm gweld i'n mynd felly dyma benderfynu sefyll Lefel 'O', deuddeg pwnc, yn cynnwys Ysgrythur. Roeddwn i wedi cael blas mawr ar fynd i gapal – i'r gwahanol wasanaethau ac i'r Ysgol Sul, yn gynta ym Methel, capal yr Annibynwyr lle'r oedd y teulu'n addoli a lle'r oedd fy nhaid yn flaenor a Nhad yn aelod.

Wedi i ni fynd i Fryn Llywelyn, fe fyddwn i'n mynychu Peniel, capal y Methodistiaid. Ym Methel roeddwn i wedi dod o dan ddylanwad Dei Thomas, athro Ysgol Sul goleuedig iawn. Ef oedd rheolwr y Coporet. Fe fyddai'n cychwyn y wers gyda rhywbeth cwbl gyffredin, fel sgwrsio am gêm bêl-droed ac yna'n arwain at rywbeth perthnasol o'r Beibl.

Ym Mheniel wedyn roedd Mrs Pritchard, Y Bryn. Fe lwyddai honno i gynnal ein diddordeb ni gydol y wers drwy greu storïau byw iawn. Fe gâi hyn ei adlewyrchu yn arholiadau sirol yr Ysgol Sul, lle caen ni farciau uchel bob amser.

Roeddwn i'r un fath yn yr ysgol wedyn, Ysgol Sir Ffestiniog, sef Ysgol Y Moelwyn erbyn hyn. Yno fe gefais i flas mawr ar y pwnc ac fe hauodd rhywun y syniad yn fy mhen o fynd ymlaen i goleg diwinyddol. Ond fe ddifethodd canlyniadau Lefel 'O' y gobaith hwnnw.

I mi, roedd fy methiant mewn Ysgrythur yn waeth na'r methiannau yn y deg pwnc arall. Fe fedrwn i ddychmygu siom Metron a Mistar hefyd, a oedd yn ymateb i lwyddiant neu fethiant plant y cartra fel unrhyw rieni naturiol.

Roeddwn i eisoes wedi bod yn siarad â'r Parchedig W. J. Thomas, gweinidog Peniel ynglŷn â mynd i'r weinidogaeth ac roedd o wedi fy rhybuddio y byddai gwaith caled o'm blaen. Yr angan i ddilyn cwrs Hebraeg, er enghraifft ond, o wneud mor wael yn fy arholiadau, rhaid fu rhoi'r ffidil ysgrythurol yn y to.

O edrych yn ôl heddiw, mae'n rhaid fod yna gysylltiad rhwng yr awydd i fynd i'r môr a'r awydd i fynd i'r weinidogaeth. O lwyddo yn y maes crefyddol, fy nymuniad oedd mynd yn genhadwr i rywle fel Madagascar. Pylwyd ychydig o'r awydd hwnnw wrth i W. J. Thomas esbonio y byddai'n rhaid i mi ddilyn cwrs mewn Ffrangeg, gan mai dyna oedd un o ieithoedd swyddogol y wlad honno.

Golygodd y methiant academaidd mai'r unig ddewis i mi fyddai dysgu crefft. Dyna fuasai byrdwn Nhad gydol yr amser: yr angan i mi ddysgu crefft, honno oedd ei bregeth fawr. Felly fe wnaed ymholiadau i'r bwrdd trydan, Manweb, ac fe gefais gyfweliad ym Mangor. Roedd hyn yn golygu rhyw fath o arholiad ysgrifenedig yn ogystal a phrofion ymarferol. Doedd gen i ddim llawer o ddileit yn y gwaith, ond dyna fo. Roedd cyfle am bum mlynadd o brentisiaeth, a dyna a fu.

Roedd prentisiaeth Manweb yn golygu treulio blwyddyn yn Hoylake ar y Wirral. Golygai hyn daith ar y trên i Benbedw ac yna daith drên arall o Hamilton Square i lawr drwy Bidstone ac i Hoylake, yr orsaf olaf ond un ar y lein.

Hwn oedd y tro cynta i mi fynd i ffwrdd ar fy mhen fy hun, a dyma Metron yn fy nanfon i'r stesion yn Stiniog ben bore. Wyddwn i ddim yn iawn i ble oeddwn i'n mynd. Gadael cartra am y tro cynta ac, yn fy achos i, Bryn Llywelyn oedd gartra. Sefyll yno ar y platfform fy hunan bach, cês yn fy llaw, yn bymtheg oed. Papur yn fy mhoced yn nodi ble fyddai angan newid trên.

Gadael Stiniog a diolch fod y trên yn dywyll wrth iddo fynd drwy'r twnnel o dan y chwareli cyn dod allan ger y Roman Bridge. Yn y tywyllwch fedrai neb weld fy nagrau. Ymlaen drwy Ddyffryn Conwy am Landudno a newid yng Nghyffordd Llandudno am Hoylake.

Yn Hoylake dyma sylweddoli fy mod i'n un o 110 o brentisiaid yn dod o bob rhan o ogledd Cymru, ardal Lerpwl a draw yr holl ffordd i Crewe. Roeddwn i'n un o dri wedi'n gosod mewn tŷ lodjin, rhif 8 Sea View yn Hoylake. Y perchennog oedd Mrs Gertrude Rogers, dynas dew, nobl, llym ei rheolau ond digon caredig.

Fy nau gyd-letywr oedd Alun Davies o ochra Tywyn a Michael Jones arall, hwnnw'n dod o ardal Aberystwyth. Ar ein diwrnod cynta fe roddwyd i ni ein rhifau arbennig. Roedd y rhif wedi'i nodi ar ddisg a oedd yn sownd wrth agoriad ar gyfer bocs twls a locar. Jones 90 a Jones 97 oeddem ni, y ddau Feical.

Yn ystod y flwyddyn gynta fe fydden ni'n treulio'r rhan fwyaf o'n hamser yn y gweithdy yn pori drwy lyfrau technegol. Peirianyddiaeth Drydanol oedd y cwrs cynta, rhan o gwrs y *City and Guilds*. Ar un diwrnod yr wythnos fe fydden ni'n teithio i'r coleg technegol ym Mhenbedw lle bydden ni'n dilyn cwrs ymarferol o dan yr *IEE Regulations*. Y llawlyfr a ddefnyddiem oedd y *13th Regulations*. Erbyn hyn mae o'n *15th Regulations*.

Doedd gen i ddim rhyw dynfa fawr at y gwaith ond fe wnes fy ngora. Digon cyffredin oedd fy ngraddau yn y gwahanol brofion ac arholiadau ond fe lwyddais i fwrw drwyddi.

Roeddwn i yn Hoylake tua diwedd cyfnod y *Teddy Boys*. Cyfnod cychwyn y Beatles, a chan ein bod ni yn ardal Lerpwl, roedd eu dylanwad nhw'n gryf iawn arnom. Roedd un o'm ffrindiau, prentis o Ddeiniolen, Delwyn Hughes, yn lletya gyda mam Cynthia Powell, cariad John Lennon, ei wraig yn ddiweddarach. Fe fyddai Cynthia yn teithio ar yr un trên â ni ar ei ffordd i'r coleg celf yn Lerpwl.

Yn Hoylake roedd yna rai caffis na chaen ni fynd iddynt, mannau cyfarfod y *Teddy Boys*. Ar y prom roedd Lido mawr, hen bwll nofio awyr agored lle bydden ni'n mynd fin nos. Fe fydda cystadleuaeth rhyngddo ni i weld pwy fydda'n ddigon dewr – a digon gwirion – i neidio i'r dŵr oer.

Fe ddeuai cyfle i fynd adra ar benwythnosau ac fe es i am dro cynta ar ôl rhyw fis. Dyma ddeud wrth Metron 'mod i wedi gwneud ffrindiau newydd a hithau'n fy nghywiro a deud nad ffrindiau oeddan nhw. Doeddwn i ddim wedi cael digon o amser i wneud ffrindiau. Cydnabod, nid ffrindiau, oeddan nhw. Pobol oeddwn i'n eu hadnabod yn dda oedd ffrindiau, medda Metron.

O fynd adra am benwythnos fe fyddwn i'n gorfod gadael ben bore dydd Llun i ddychwelyd i Hoylake. Mynd ym mws y chwarelwyr o'r Llan tua chwartar wedi chwech i ddal y trên saith. Rhyw Mr Slack oedd yn gofalu amdanom yno, stwcyn bach tew gyda nam ar un o'i ddwylo a gwisgai rywbeth yn debyg i hosan dros y llaw wywedig. Roedd pawb ei ofn o. Fe benderfynodd y tri ohonom oedd yn siario lodjins y bydden ni'n talu llai o rent bob tro y bydden ni'n mynd adra. Roedd ein rhent yn dod allan o'n paced pae o ychydig dan bedair punt yr wythnos. Fe fyddai arbed talu dros ambell Sul yn golygu llawer i ni. Ond am i ni awgrymu'r fath drefniant fe'n galwyd o flaen Mr Slack a theimlen yn sicr y caen ni ein danfon adra. Mynd adra at eu rhieni fyddai'r ddau arall, felly wn i ddim pa ymateb gaen nhw. Meddwl am y gwarth wnawn i ddwyn ar Fryn Llywelyn oeddwn i. Rhyddhad mawr oedd cael pardwn gan Mr Slack.

Ambell benwythnos, yn hytrach na mynd adra, fe gawn i wahoddiad i gartra un o'r prentisiaid eraill. Wn i ddim ai tosturio drosta i oedda nhw am nad oedd gen i gartra go iawn i fynd iddo. Rwy'n cofio cael mynd i Warrington gyda phrentis o'r enw Derek Collins. Doeddwn i erioed wedi bod mor uchel i'r gogledd a dyna pryd y gwelais i fy ngêm gynta o rygbi, a honno'n gêm rygbi cynghrair, wrth gwrs. Warrington, yn eu gwyn i gyd, yn erbyn Widnes.

Peth arall fu'n agoriad llygad i mi oedd fod gan Derek gariad a gâi dreulio'r penwythnos gydag o yn y tŷ. Fedrwn i ddim credu'r peth.

Fe ges i wahoddiad i Crewe unwaith hefyd at deulu prentis o'r enw West ac yno cael y cyfle i weld tîm pêl-droed Crewe Alexandra'n chwara. Dro arall rwy'n cofio mynd i Whittington gyda Frank Tinsley ac i Groesoswallt efo Phil Evans. Un arall a aeth â mi adra at ei deulu oedd Brian Thomas o Lanrwst, cymeriad a hanner. Mae o'n dal i weithio i Manweb hyd heddiw. Fe gafodd o fynd i'r llys unwaith am saethu gwylan fôr a chael andros o bregeth yn y llys am ddeud iddo saethu'r wylan am iddi dynnu tafod arno fo.

Yn dilyn y flwyddyn gynta fe'm danfonwyd yn ôl i Stiniog, i ganolfan Manweb. Mynd i'r stôrs a chael yr ofyrôls swyddogol gydag enw'r cwmni arno, côt fawr, y bocs tŵls a'r geriach i gyd. Y drefn wedyn fyddai i'r prentis fynd allan gyda thrydanwr profiadol gan symud o adran i adran i fagu profiad. Weithia mynd allan gyda rhywun o adran y *mains* a oedd yn gyfrifol am y gwaith trwm, codi polion a rhedeg y gwifrau ar draws y caeau. Cyfnod arall gyda'r *jointers*, y rhai fyddai'n tyllu ffyrdd a thrwsio'r cebls tanddaearol a'r bocsys. Cyfnod yn y stôrs wedyn, lle byddai'r trydanwyr yn casglu eu gwahanol anghenion. Drwy'r drefn hon fe fyddwn i'n cael profiad ym mhob maes.

Roedd rhai o'r dynion y byddwn i'n mynd allan yn eu cwmni yn gryn gymeriadau. Dyna'i chi Gwyn Jones, a oedd ar y fan. Ef oedd yng ngofal y trwsio cyffredinol. Fe fyddwn i'n mynd gydag o yn y fan i drwsio poptai, neu unrhyw beth trydanol oedd angan eu trwsio. Roedd yr ardal dan sylw yn ymestyn o Stiniog i'r de i Drawsfynydd, i Ddyffryn Ardudwy ac yna draw i Borthmadog. Fe fydden ni'n cael y cardiau yn y bore, y *minor repair cards* yn deud wrtha ni ble oeddan ni i fynd.

Fe fyddai llawer iawn o ddireidi'n digwydd. Fe fydden

ni'n mynd i fyny i Gwm Bychan a Chwm Nantcol, uwchben Llanbedr yn Nyffryn Ardudwy, yn y cyfnod pan ddaeth trydan yno am y tro cynta. Roedd angan weirio tai, ffermdai, beudái ac ati am y tro cynta. Weithiau fe fydden ni, amser cinio, yn pysgota ieir. Bob Roberts wnaeth fy nysgu. Cael rîl edau, gwasgu pelen o fara yn fy llaw nes ei fod o fel toes a'i osod o ar flaen yr edau. Eistedd allan ar y buarth yn bwyta'n brechdanau a thaflu ambell grystyn ac yna taflu'r bara oedd ar flaen yr edau. Fe fyddai'r iâr yn llyncu'r bara a darn helaeth o'r edau. Yna fe fyddwn i'n tynnu ar ben arall yr edau yn araf deg fel petawn i'n pysgota, a'r iâr yn dod ata'i yn big-agored. Dim ond ei dal hi a rhoi plwc ac fe ddeuai'r edau allan, a'r hen iâr ddim gwaeth.

Dwi'n cofio mynd â phopty newydd i un lle. Roedd platiau gwahanol ar y popty, wrth gwrs, rhai yr un siâp â licyrish, eraill yn solet. A dyma'r dyn yma, yn ei ddiniweidrwydd, ac heb weld popty trydan o'r blaen, yn gofyn ai plât rwber oedd ar ei bopty newydd.

Mynd wedyn, wedi iddi dywyllu, i fferm lle'r oedd y cyflenwad wedi diffodd. Gan fod y lle yn ddieithr, roedd angan chwilio am y fferm. Fyny â ni i ardal anghysbell a stopio yma ac acw i edrych ar giatau ffermydd. Dod yn ôl o edrych ar un giât a'r gyrrwr yn gofyn ai dyna oedd y lle. Finna'n deud na, gan mai enw'r fferm oedd *Alpha Laval*, a chael clustan am ddeud hynny. Doeddwn i ddim i wybod mai plât metel yn hysbysebu peiriant godro oedd yr *Alpha Laval*.

Ailwreiddio

Yn fy ail flwyddyn fel prentis, ac yn ddwy ar bymtheg oed, roeddwn i'n dal i fyw ym Mryn Llywelyn. Roedd Maureen, fy chwaer hynaf, wedi gadael erbyn hyn i weithio yn ardal Caergrawnt, fel nani i ryw deulu. Penderfynodd ddod adra, petai gobaith i ni, fel teulu, gael cartra go iawn unwaith eto. Dyma lwyddo i gael tŷ cyngor ym Mhenrhyndeudraeth. Roedd Mam yn dal yn yr ysbyty a heb fod adra ers yr holl flynyddoedd.

Fe symudon ni i gyd i Benrhyndeudraeth a thrio gwreiddio o'r newydd yno. Roeddwn i'n adnabod ambell un oedd wedi bod yn ysgol Blaenau. Roedd rhieni Nhad erbyn hyn wedi symud i Lanfrothen, dair milltir o'r Penrhyn.

Fe wnes i ymdoddi i fywyd y fro gan fynd ati i sefydlu clwb ieuenctid yn y Neuadd Goffa, sydd bellach yn swyddfeydd Antur Dwyryd Llŷn, a hynny ar gais cadeirydd y Cyngor Plwyf, Mr Paul, a oedd yn cadw'r siop bapur. Yn wir, fe ges i fy nghyfethol ar y Cyngor ac, ar y pryd, fi oedd y Cynghorydd Plwyf ieuengaf ym Mhrydain.

Yno y dechreuodd fy niddordeb yn y byd adloniant wrth i mi fynd ati i drefnu discos gydag offer digon hen ffasiwn. Dyma'r cyfnod pan oedd P. J. Proby yn boblogaidd a dyma benderfynu fy ngalw fy hun yn DJ Plumey. Gyda llaw, fe ges i'r enw Mici Plwm pan oeddwn i'n blentyn yn y Llan. Roedd mynd mawr ar chwara cowbois a rhywun byth a hefyd yn mynnu bod yn Tom Mix, Kit Carson neu Gene Autrey. Doedd gen i fawr o ran yn y dewis enwau gan mai fy arwr i oedd Little Plum, Your Redskin Chum o gomic y *Beano*. Doedd dim angan gwn na belt na het cowboi arna i felly, dim ond tamaid o lastig rownd fy nhalcen a phluen iâr a slipars.A dyna o ble daeth yr enw.

Petai rhywun yn gofyn pwy ydi Michael Lloyd Jones heddiw, prin y byddai neb yn gwybod. Mae 'na dipyn mwy yn gwybod pwy yw Mici Plwm.

Fel DJ Plumey fe fyddwn i, yn ogystal â rhedeg discos, yn trefnu dawnsfeydd. Fi fydda'n gwneud y posteri hefyd ac yn hel pres at achosion da yn lleol. Yn Saesneg y byddwn i'n cynnal y gweithgareddau gan fwyaf. Doedd neb wedi dod yn ymwybodol o'r argyfwng iaith bryd hynny. Roedd protest Pont Trefechan yn y dyfodol.

Dechreuodd y fenter dyfu a doedd dim digon o le yn y neuadd i gynnal dawnsfeydd mawr gyda grwpiau. Felly fe wnaed cais drwy'r Cyngor Plwyf am gael defnyddio hen sinema Meirion. Cafwyd caniatâd ar yr amod ein bod ni'n glanhau'r lle, tynnu'r seti oddi yno a chlirio tunelli o chewing gum oddi ar y lloriau. Ar ôl wythnosau, os nad misoedd o waith, fe lwyddwyd. Fred Couture, tad un o'm ffrindiau pennaf i, Jacky Couture, fu'n ein helpu.

Dyma ddechra, rŵan, cynnal dawnsfeydd gyda grwpiau go iawn ac fe wnes i droi Penrhyndeudraeth yn rhyw fath o Feca i ddilynwyr pop. Roedd cannoedd yn dod yno, o ochra Llandudno, Sir Fôn – o bob man – i weld y gwahanol grwpiau.

Fe fyddwn i'n llogi grwpiau lleol yn ogystal â rhai o bell. Dyna'i chi y Black Diamonds o Harlech, Davy John and the Moods, y Couriers o Stiniog, y Dimensions a'r Cardinals o Fangor, Mo and the Mystics o Gaergybi, y Jets o ochra Llandudno. Ac fe fydda'r grwpiau hyn yn denu cannoedd ar gannoedd o bobol ifanc. Gyda llaw, drymiwr Mo and the Mystics oedd Wynne Roberts, sydd bellach yn enwog fel hypnotydd. Fe gafodd ei enw yn y *Guinness Book of Records* am chwara'r drymiau am yr amser hiraf erioed – un diwrnod ar hugain.

Dau o'r grwpiau mwyaf o'r cyfnod oedd Dino and the Wildfires a'r Anglesey Strangers a dyma fi'n troi o fod yn DJ Plumey y trefnydd discos i DJ Plumey Promotions. Fe fyddwn i'n trefnu'r cyfan, hyd yn oed gwneud y posteri efo *crayons* lliw, a'u dosbarthu.

Fe fyddwn i'n llogi rhai grwpiau drwy asiantaethau proffesiynol fel y Kennedy Street Enterprises o Fanceinion, oedd yn cael ei redeg gan Danny Betesh, cyn-asiant i Max Boyce. Rwy'n cofio dod â Van Morrison yno pan oedd o'n aelod o'r grŵp Them. Pwy fasa'n meddwl fod Van Morrison wedi canu ar lwyfan Neuadd Goffa Penrhyndeudraeth. Rwy'n cofio hefyd dod â'r Applejacks yno. Yr Undertakers wedyn, a'r Mighty Avengers o Fanceinion, yn cynnwys Graham Goldman a ysgrifennodd ganeuon i'r Yardbirds. Y Fitz and Starts wedyn, grwpiau mawr y cyfnod. Y Pretty Things hefyd unwaith, ond fe wnaethon nhw dorri i lawr ar y ffordd.

Dyma hefyd pryd y cychwynnais i reoli grwpiau. Roedd yna grŵp lleol, The Infamous Coalition, sef Wally Evans, Bob Thomas, Jimmy Dodd, Ed, a Dafydd Wyn Jones, a ddaeth yn ddiweddarach yn Brif Weithredwr

Antur Dwyryd. Cymry Cymraeg bob un. Dafydd oedd y prif ganwr. Eto fe fyddwn i'n defnyddio Kennedy Street Enterprises drwy logi bandiau ar gyfer Penrhyn-deudraeth tra'n cael yr asiantaeth ar yr un pryd i roi gwaith i'r grŵp oeddwn i'n ei reoli.

Rwy'n cofio mynd gyda nhw i Nantwich lle'r oeddan nhw'n chwara ar yr un llwyfan â'r Moody Blues. Fe fuo ni'n chwara yn yr Elizabeth Gaskill College for Girls, o bobman, ym Manceinion ar yr un llwyfan â'r Original Drifters. Chwara mewn clybiau wedyn yma ac acw ar nos Wener, symud i rywle arall ar gyfer nos Sadwrn a rhywle gwahanol eto ar nos Sul.

Roeddan ni'n teithio o gwmpas mewn fan o'r enw Bess ac un noson roeddan ni'n chwara yng nghyffiniau Manceinion. Fedren ni ddim fforddio aros mewn gwesty crand a dyma fynd i ganol y ddinas i chwilio am le i barcio'r fan wrth ymyl rhyw westy. Y bwriad oedd cysgu ynddi. Yn sydyn dyma gannoedd o bobol yn crynhoi o gwmpas y fan a ninna'n meddwl fod y rhain i gyd yn ffans o'r Infamous Coalition. Y gwir amdani oedd fod y Rolling Stones yn aros yn y gwesty.

Aros mewn rhyw le gwely a brecwast wedyn. Fe fydda'n rhaid i ni aros mewn mannau rhad, fel tai lodjin lle byddai gyrrwyr loris yn aros. Ed oedd yng ngofal y pres a dyma fo'n trefnu un noson i ni aros mewn lle o'r enw Doris Dance, i gyd mewn un llofft fawr. Fe sylwon ni fod yna ddyn du yn cysgu mewn gwely yn y gornel ond, o ddeffro yn y bore, dyma sylweddoli nad dyn du oedd o ond dyn gwyn budur.

Wedyn newidiodd y grŵp ei enw i *Seesaw* ac mi gawson waith yn chwara ddwywaith yr wythnos drwy dymor yr haf yn Abersoch, cyfod o dri mis, gan ennill y swm anrhydeddus o un bunt ar ddeg y noson. Trefnydd y dawnsfeydd oedd Bryan Evans, Cynghorydd poblogaidd iawn ym Mhen Llŷn heddiw.

Roedd o'n gyfnod cyffrous pan oedd yna sîn go iawn. Doedd yna ddim ymwybyddiaeth o'r iaith Gymraeg yn y byd pop o hyd a dim grwpiau Cymraeg fel y cyfryw. Yn ddiweddarach y daeth rhaglenni fel Disg a Dawn ond hyd yn oed wedyn, canu gwlad oedd y cyfrwng yn hytrach na roc. Roedd Ruth Price, cynhyrchydd Disg a Dawn wedi ceisio perswadio Seesaw i gyfieithu rhyw gân Saesneg i'r Gymraeg. Gwrthod wnaen nhw bob tro am y teimlent na fyddai Cymraeg yn gweddu i roc neu *rhythm and blues*. I mi, y grŵp cynta a wnaeth i'r iaith Gymraeg swnio'n iawn mewn canu roc oedd Edward H. Dafis. Fe lwyddon nhw i gyfuno'r arddull a'r iaith heb wneud i'r Gymraeg swnio'n *corny*. Wedyn fe ddefnyddiwyd yr iaith Gymraeg fel iaith naturiol pob math o gerddoriaeth, fel y dylai, wrth gwrs.

Ardal Manceinion fyddai'r dynfa. Fan honno fyddai'r gwaith. Chwara gyda bandiau fel The Bonzo Dog Doodah Band. Mynd i'r siopau dillad mawr a phrynu pethau nad oedd ar gael adra. Rhyw *hipsters* ac ati a'r *kipper ties* blodeuog a theimlo'n rêl bois. Mynd i glybiau nos a oedd yn glybiau nos go iawn yn yr ystyr eu bod nhw ar agor drwy'r nos, Canolfannau Mr Smith's a The Twisted Wheel lle byddai bandiau byw. Wedi i ni orffen ein gig ni fe fydden ni'n cloi'r offerynau a'r offer yn y fan a mynd i un o'r clybiau hyn. Weithiau fe ddeuai criw at ei gilydd i jamio. Fe ddaeth criw felly at ei gilydd un noson gan alw'u hunain yn Steam Packet. Ychydig feddylion ni y byddai rhain yn dod yn enwog. Pwy oeddan nhw ond Julie Driscoll and the Brian Auger Trinity, a gafodd lwyddiant wedyn gyda 'This Wheel's on Fire', ynghyd â Rod Stewart a Long John Baldry.

Ond ym Mhenrhyndeudraeth y cychwynnodd y cyfan i ni. Ac un sy'n cydnabod ei ddyled i'r nosweithiau hynny yn y Neuadd Goffa yw Dafydd Pierce, a ddatblygodd i fod yn gitarydd arbennig iawn ac yn gyfansoddwr. Hogyn ifanc iawn oedd o yn mynychu'r dawnsfeydd hynny, yn sefyll o flaen y llwyfan yn gwylio ac yn gwrando. Pan oedd o yn ei arddegau cynnar fe gychwynodd ei grŵp ei hun, The Z's. Unwaith fe drefnwyd gig fawr, The Big Beat Nite ac yn chwara yno roedd yr Anglesey Strangers, Mighty Avengers, Infamous Coalition, Dimensions a hefyd yn cyflwyno yr hyn a hysbysebwyd ar y poster fel Child Prodigy Dafydd Pierce and The Z's. Cafwyd cerydd gan y ficer lleol am bortreadu Dafydd fel rhywun goruwchnaturiol, ond roedd Dafydd yn eithriadol o dalentog. Aeth ymlaen i greu cyfeillgarwch gyda rhai o'r Beatles a ddeuai draw i Dalsarnau at blant Arglwydd Harlech. Fe chwaraeodd o hefyd ar record Chris Jagger, brawd Mick, 'You Know the Name but not the Face' a mi fuodd o'n gweithio fel cerddor sesiwn ar draws America.

Un arall o hogia topia Penrhyn oedd Alun Huws, neu Sbardun ac mae ynta'n dal i gofio am y dawnsfeydd hynny yn y Neuadd Goffa. Fe aeth o ymlaen i chwara gyda'r Tebot Piws, wrth gwrs, ac mae o'n dal i gyfansoddi.

Erbyn hyn rown i'n ddwy ar hugain oed ac wedi gorffen fy mhrentisiaeth. Roedd y brentisiaeth ei hun yn para pum mlynedd ond roedd dwy flynedd arall o fod ar ryw fath o gyfnod prawf. Doeddwn i ddim yn hapus: roedd goleuadau'r llwyfan yn denu a doeddwn i ddim yn hoffi'r gwaith. Roeddwn i erbyn hyn wedi cael blas fel DJ Plumey a Plumey Promotions. Un noson dyma Nhad yn sylwi 'mod i'n dawel iawn ac yn gofyn be' oedd y matar. Finna'n ateb nad oeddwn i'n hapus iawn yn fy ngwaith a dyma fo'n gofyn pam, felly, na wnawn i adael?

Y rheswm pam nad oeddwn i wedi rhoi'r gora i'r swydd oedd am nad oeddwn i am ei frifo fo. Wedi'r cyfan, fo oedd wedi bod yn awyddus i mi ddysgu'r grefft. Roedd ei ymateb o yn deimlad braf ac fe benderfynais ddeud wrth y fforman be' i'w wneud â'i waith. Roeddwn i wedi teimlo ers tro nad oeddwn i'n ffitio ac mai fi oedd yn cael y jobsus budron. Ar y bore dydd Llun dyma'r fforman yn edrych drwy'r cardiau gwaith ac yn dewis dyletswyddau ar fy nhyfer. Minnau'n deud na wnawn i gymryd at y dyletswyddau.

'Mae'n rhaid i ti,' medda fo.

'Nac oes,' medda finna, 'does dim rhaid i mi o gwbwl. Rwy'n rhoi'r gora i'r gwaith.'

Yntau'n deud y byddai'n rhaid i mi weithio mis o notis. Minnau'n deud wrtho am iddo'u gweithio nhw drosta'i. Roedd o'n deimlad braf gwybod fod y drefn o orfod gweithio o wyth tan bump drosodd.

Tua'r un adeg fe gafodd Mam ddod adra gan fod yno symudiad tuag at wacáu'r ysbytai, lle'r oedd hynny'n bosib. A rŵan roeddan ni ar aelwyd sefydlog gyda Maureen yn ddigon hen i gadw trefn ar bethau fel mam fach. Roedd y sefyllfa yn addas i Mam gael dod yn ôl i'r gymdeithas.

Roeddwn i ar y pryd yng Nglanllyn. Roedd Adran yr Urdd gref iawn ym Mhenrhyndeudraeth gyda Elfed Roberts yn arweinydd ac fe fyddwn i'n mynd i Lanllyn ar bob cyfle posib. Yn dilyn cyfnod mewnblyg ym Mryn Llywelyn roeddwn i erbyn hyn fel petawn i am wneud i fyny am flynyddoedd colledig fy mhlentyndod a'm hieuenctid cynnar. Felly fe geisiwn i gymryd rhan ym mhopeth. Yng Nglan-llyn yr oeddwn i ar y penwythnos y cafodd Mam ddod adra. Pan adewais y gwersyll, yn hytrach na mynd adra, fe es i gartra Jacky Couture, fy ffrind mawr. Ceisiodd ei fam o fy annog i fynd adra i weld Mam ond roedd gen i ryw deimladau cymysg iawn. Doeddwn i ddim wedi gweld y ddynas yma oedd yn fam i mi ers pan oeddwn i'n chwech oed. Dynas ddieithr bellach. Wn i ddim ai ofn oedd o, ond roedd rhywbeth yn fy nal i yn ôl.

Mam Jacky, sef Anti Blod, wnaeth fy mherswadio i fynd adra, gan bwysleisio y byddai ar Mam fwy o fy angan i bellach nag y byddwn i ei hangan hi. A dyma fynd adra. Roedd o'n brofiad dirdynnol iawn, y ddynas yma'n eistedd yno'n dawel. Fe wyddwn i mai Mam oedd hi, ond eto roedd hi'n ddeithr. Ond buan y gwnaethon ni ailsefydlu perthynas.

Ar ôl dros bymtheng mlynadd, roeddan ni'n deulu cyfan unwaith eto.

Tu Ôl i'r Llenni

O adael Manweb, dyma fi'n fy nghael fy hun yn segur. Ddim yn hollol segur, chwaith, gan fod rhywun bryd hynny yn medru mynd o waith i waith.

Fe wnes i weithio mewn aml i swydd – am gyfnod yn ffatri deipiaduron Smith Corona, un o'r ffatrïoedd datblygu a godwyd gan y Llywodraeth i greu gwaith ym Mhorthmadog.

Gwaith diflas oedd o. Belt mawr yn rhedeg drwy'r adeilad a thua hanner cant o weithwyr yn eistedd o bobtu. Codi darn o offer, codi sgriw a'i gosod hi mewn twll a gosod y darn yn ôl ar y belt. Gwneud yr union beth dro ar ôl tro o fore gwyn tan nos. Pawb yn eistedd yno ac yn mynd drwy'r un symudiadau drosodd a throsodd fel ieir *deep litter*.

Arhosais i ddim yno'n hir. Rhywbeth i lenwi bwlch oedd o. Cael ein diswyddo wnaeth criw ohonom am i ni rwygo'r belt fel protest yn erbyn amodau gwaith, rhoi rhic bach ynddo â chyllell yn awr ac yn y man, a'r rhic yn mynd yn hwy bob cynnig. Pan ledodd y rhic dros hanner lled y belt fe rwygodd gan lapio'i hun am y fforman, a oedd yn eistedd mewn côt wen ar y pen draw. Yno roedd y belt fel rhyw sgarff Doctor Who o gwmpas ei wddf.

Nid fi'n bersonol fu'n gyfrifol. Roedd tri neu bedwar ohonom yn y briwes. Fe'n galwyd ni i swyddfa'r rheolwr, rhyw Eidalwr, ac fe gawsom ein ffurflenni *P45*.

Wedyn dyma fynd i weithio i ffowndri Glaslyn, hen adeilad mawr, budr ger y Cob ym Mhorthmadog. Lle'r dreth incwm ydi o bellach. Dim ond tri ohono ni oedd yn gweithio yno, Bili Bach, Anslow Evans a minna.

Yn y cyfnod hwnnw fe fyddwn i hefyd yn gweithio yn selar Recordiau'r Cob lle'r oedd clwb min nos, y cynta yn yr ardal, Hernando Bill's Cellar Club. Roedd Bill Davies, perchennog Recordiau'r Cob, wedi troi'r lle yn rhyw fath o atynfa i ieuenctid, a D J Plumey oedd y disc joci yno.

Rhyw fath ar glwb goriad oedd o, pob aelod â'i oriad ei hun. Roedd y drws ar ffurf giât mochyn, fel mai dim ond un fedrai fynd i mewn ar y tro. Byddai'n amhosib i unrhyw un adael rhywun arall i mewn.

Dyma gyfnod y *flower power* a'r goleuadau seicadelic. Fe fydden ni'n mynd i'r Gwyllt, gerddi yn perthyn i Bortmeirion, i gasglu rhododendrons a choedydd a deiliach i addurno'r clwb.

Pan oeddwn i'n gweithio yn y ffowndri, fe fyddwn yn mynychu caffi Recordiau'r Cob yn rheolaidd. Roedd y lle yn gyrchfan pobol ifanc ac yno y byddai popeth yn digwydd. Pwy gerddodd i mewn un diwrnod ond cynglerc i gwmni cyfreithwyr William George – Michael Povey, oedd newydd gychwyn gyda Chwmni Theatr Cymru ym Mangor. Dim ond criw o dri oeddan nhw ar y pryd, Wilbert Lloyd Roberts, Maude Griffiths, ei ysgrifenyddes, a Meical. Eu cartra nhw oedd swyddfa yn Stryd Waterloo ym Mangor.

Roedd Meical wedi dod adra ac yn cerdded o gwmpas y lle gan edrych fel y dychmygwn y dylai actor ifanc edrych, efo'i got yn hongian yn rhydd dros ei sgwyddau a'i freichiau heb fod yn y llewys. Wrth i ni sgwrsio dyma

Meical yn awgrymu y dylwn i gysylltu â Wilbert, gan ei fod o'n chwilio am drydanwr i'r cwmni. Gwyddai fy mod i wedi bod yn helpu Wil Sam yn Y Gegin yng Nghricieth. Roedd John Elwyn Hughes wedi trefnu i mi fynd yno i fagu profiad. Doeddwn i erioed wedi actio o flaen cynulleidfa ond roeddwn wedi ymarfer ar gyfer rhan yn 'Y Tro Crwn'. Roedd Meical wedi bod yn perfformio yn Y Gegin.

Ar yr union adeg roedd Meical yn fy annog i gael sgwrs â Wilbert, roedd Cwmni Theatr Cymru wedi lansio cynllun hyfforddi – rhyw ragflaenydd i gwrs Cyfle, ac i mi, copi o syniad Wilbert yw Cyfle. Fe hysbysebodd Wilbert am actorion ifanc, ac ateb yr hysbyseb hwnnw wnes i.

Dyma fynd i Fangor am gyfweliad a gwrandawiad. Dydw'i ddim yn un sy'n hoffi gwrandawiadau. Mae ambell un yn paratoi rhyw damaid o Shakespeare. Ond rwy'n meddwl i mi ddarllen cyfarchiad y Parchedig Eli Jenkins i'r bore o 'Dan y Wenallt', a rhywbeth fel 'Cwm Pennant'.

Cefais fy newis. Nid fel actor ond fel trydanwr, ond gan gael y cyfle hefyd i dderbyn hyfforddiant ym mhob maes arall, o goluro i actio. Yno'n cael gwrandawiad yr un pryd â mi oedd Dafydd Hywel Evans. Hwn oedd y tro cynta i mi ei gyfarfod erioed. Cafodd yntau ei dderbyn. Eraill a ymunodd â'r cwmni yr adeg honno oedd Grey Evans, Marged Esli, Gwyn Parry, Dylan Jones, Hefin Evans a Sharon Morgan. Mae'n rhaid gen i fod naw deg naw y cant o'r rhai a ddewiswyd gan Wilbert yn dal i chwara eu rhan ym myd y ddrama mewn rhyw ffordd neu'i gilydd. Breuddwyd Wilbert oedd denu pobol ifanc Cymraeg i mewn i fyd y ddrama. Ac fe lwyddodd.

Fe ymunais i â Chwmni Theatr Cymru yn swyddogol fel rhyw reolwr llwyfan cynorthwyol a thrydanwr, neu'n hytrach fel trydanwr cynorthwyol i Dorian Kelly. Doedd yna ddim traddodiad bryd hynny o gael cynllunydd goleuadau Cymraeg. Fe fyddai'r prif reolwr llwyfan, yn ogystal â'r adeiladydd setiau, yn Saeson ond fe lwyddodd Wilbert i gael yr arbenigwyr Saesneg eu hiaith hyn i hyfforddi to newydd o siaradwyr Cymraeg. Dyma finna rŵan yn fy nghael fy hun mewn crefft arall.

Fel criw fe fydden ni'n gweithio oriau hir, oriau anghymdeithasol, wrth i ni fynd yma ac acw ar ein teithiau. Doedd Theatrau Clwyd a Gwynedd, Y Werin a Felinfach ddim yn bod bryd hynny. Ymweld â neuaddau tref a phentref fydden ni gan gario lampau a chario'r set i bob man. Perfformiadau unnos fydden nhw. Cyrraedd lleoliad yn y bore, codi'r goleuadau, gosod yr offer sain a pharatoi'r stafell wisgo, hynny yw, trawsnewid adeilad cyffredin i fod yn theatr am un noson.

Un o'r cynhyrchiadau cynta rwy'n cofio gweithio arno oedd 'Y Ffordd', cyfanswm o saith deg dau o berfformiadau. Teithio ledled Cymru a dod yn ôl i Fangor ar gyfer taith arall, sef 'Dawn Dweud' gyda Dafydd Iwan a Meic Stevens. Yn dilyn y daith honno, 'Y Claf Diglefyd'. Ac yn dilyn honno, 'Daniel Owen'.

Fe wyddai Wilbert o'r gora mai trydanwr oeddwn i, ond roedd o'n ei dallt hi. Yr hyn a gâi gen i oedd rhywun oedd â'r awydd i weithio oriau hirion, a gweithio'n galed. Er mai trydanwr oeddwn i, fe fyddwn i hefyd yn dysgu'r sgriptiau fel dirprwy actor. Yn 'Cilwg yn Ôl', cyfieithiad o *Look Back in Anger*, yr actorion oedd John Ogwen, Gaenor Morgan Rees, Beryl Williams a Grey Evans. Roeddwn i'n ddirprwy actor ar gyfer Grey, a oedd yn chwara rhan Cliff. Ond, wrth edrych yn ôl, hyd yn oed petai Grey wedi'i gymryd yn sal, fyddai Wilbert ddim wedi gadael i mi fynd ar y llwyfan.

Ond fe wyddai Wilbert sut oedd trin pobol. Roedd o'n gwneud i mi deimlo'n dda yn yr ystyr fy mod i'n dysgu'r sgript ac yn cael bod yn rhan o'r ymarferiadau. Roedd ganddo fo freuddwyd, a mi oedd ei freuddwyd o'n un fawr. Hyd heddiw mae'r criw gwreiddiol hwnnw yn dal i feddwl y byd ohono fo. Wiw i neb ladd ar ei weledigaeth o wrtho ni. Yn bersonol, mi fyswn i'n barod i ymladd fel Jac Rysal i achub ei enw da fo.

Er bod Wilbert yn dewis pawb ar gyfer rôl arbennig, fe gâi pawb hefyd rannu'r dyletswyddau fel y caen ni i gyd brofiad cyflawn. Fe fyddai pawb, er enghraifft, yn cynorthwyo Buckley Wyn Jones yn y gweithdy i godi'r set. Hel y props wedyn, hel y gwisgoedd, derbyn hyfforddiant mewn coluro. Fe fydden ni hefyd yn mynychu darlithoedd gan arbenigwyr fel Cynan a W. H. Roberts ar gyfer actorion.

Fe ddatblygais i fod yng ngofal y goleuo a'r sain. Yn dilyn cydweithio gydag arbenigwyr o Saeson, roeddwn i bellach yn ddigon hyddysg i wneud y gwaith fy hun. A dyna oedd bwriad Wilbert, cael Cymry Cymraeg i fod yn ddigon medrus a phrofiadol ym mhob agwedd o waith theatr. Mewn geiriau eraill, creu un peiriant mawr gyda'r cogs i gyd yn Gymraeg.

Roedd Dafydd Hywel, Meical Povey, Hefin Evans a minnau yn siario tŷ yn Lôn Popty ac yn cyfrannu i gronfa ganolog i dalu am ein bwyd. Ond, gan fod Povey yn fwytäwr mor fawr – fe allai fwyta torth gyfan ar y tro – fe gafodd ei dorri allan o'r gronfa.

Roedd Grey Evans wedi addurno'r tŷ cyn i ni gyrraedd ac mae'n amlwg iddo ddod o hyd i baent rhad yn rhywle gan iddo beintio popeth yn y tŷ naill ai'n las neu'n wyn. Iawn i'n pwrpas ni. Fedren ni ddim fforddio talu llawer gan mai £12 yr wythnos oedd ein cyflog.

Doedd dim byd yn balasaidd am y tŷ. Roedd crac yn y bath haearn bwrw a olygai y byddai unrhyw un a fyddai'n ddigon ffôl i eistedd ynddo mewn perygl o ddioddef o shrapnel. Ac yn y gegin, roedd yna lygoden fach yn bwyta saim y badell ffrio. Roedd Dafydd Hywel, er yn chwara rhannau caled a chignoeth, gymaint o ofn y llygoden fach fel y gafaelodd mewn morthwyl a hoelen chwech a hoelio drws y gegin i'r ffrâm. Fedren ni ddim defnyddio'r gegin wedyn. Byw ar tships fu'n hanes.

Un dydd yn y tŷ, a ninnau newydd ddychwelyd o daith galed, dyma drafod y sefyllfa. Dyna lle'r oeddan ni, yn gweithio oriau hirion ac yn teithio Cymru gyfan – Sir Benfro a Chaerdydd, Llanfyllin, Wrecsam – unrhyw fan oedd yn awyddus i weld cynhyrchiad Cymraeg. Fe fydden ni'n aros mewn tai lodjin rhad ac yn methu fforddio bwyta dim mwy na ffish a tships. Weithia fyddai dim amser i fwyta o gwbwl gan y byddai angan dechrau'n gynnar i drawsnewid neuadd yn theatr a'i chael yn barod i'w throsglwyddo i reolwyr blaen y tŷ erbyn tua saith. Ar ddiwedd y cynhyrchiad byddai angan datgymalu popeth ac ail-lwytho loris John Owen, Bangor ar gyfer y diwrnod wedyn. Ein gobaith ni oedd y byddai'r cast, John Ogwen, Gaenor Morgan Rees, Beryl Williams a

W. H. Roberts yn cadw'r bar yn agored ar ein cyfer. Dyna'r unig gyfle a gaen ni i gymdeithasu.

Yr unig ateb fyddai bwyta brecwast anferthol yn y tŷ lodjin, oedd i'w gael am ddim, a hwnnw fyddai'n ein cynnal ni am y dydd.

Roedd y sefyllfa'n ddifrifol wrth i ni drafod ein dyfodol o gwmpas y bwrdd yn y tŷ. Doedd £12 yr wythnos ddim yn ddigon a dyma benderfynu mynd at Wilbert, neu Mr Roberts, fel y bydden ni'n ei alw, a deud wrtho y byddai raid i ni, os na chaen ni godiad cyflog, adael.

Draw â ni i swyddfa Maude a gofyn iddi a oedd Mr Roberts i mewn. Oedd. Ond cyn iddi hyd yn oed godi'r ffôn, roeddan ni'n curo ar ei ddrws.

'Dewch i mewn, bobol,' medda llais tawel Wilbert.

Dyma fartsio i mewn a deud ein deud, ac yntau'n gwrando'n amyneddgar. Roedd Wilbert yn ddiplomat gwych ac mi fasa wedi gwneud gwleidydd penigamp. Medrai drafod pobol a'u troi nhw o gwmpas ei fys bach heb iddyn nhw sylweddoli hynny. Aeth ati i esbonio'r sefyllfa i ni, cawsom ddarlith ar sut y câi'r theatr ei hariannu, sut câi'r arian ei ddosbarthu, sut oedd angan gwario ar hysbysebu, ar deithio, ar logi neuaddau, ar dalu actorion, ar brynu offer ac ar adnewyddu gwisgoedd. Do, fe gawson ni ddarlith ddiddorol a dwys ar yr anhawster o fedru bodoli o fewn terfynau'r grant. Roedd stori Wilbert mor ddirdynnol fel i ni fynd oddi yno yn bowio wysg ein cefnau gan gytuno i dderbyn pedair punt yr wythnos yn llai.

Oedd, roedd o'n ddyn anhygoel. Ond wydden ni ddim bryd hynny fod ganddo fo a'i freuddwyd eu gelynion. I ni doedd neb tebyg iddo. Fe wnâi i ni deimlo ein bod ni'n perthyn i'w gang o, pobol ddethol, freintiedig y gwyddai y rhoddem ni gant y cant a mwy iddo.

Nôl â ni, felly, i baratoi ar gyfer y daith nesaf.

Erbyn hyn roeddan ni'n gwneud tipyn o bopeth. Roedd Meical Povey yn rheolwr llwyfan, y gora welais i erioed. Fe fyddai Dafydd Hywel, hwyrach, yn helpu gyda'r set. Grey Evans â rhan actio yn y cynhyrchiad. Gosod a gweithio'r goleuadau fyddwn i. Ond fe fyddai pawb yn chwara eu rhan.

O ddod yn ôl o daith, y gwaith cynta fyddai gwagio'r lori, tynnu'r offer i gyd allan a'i storio yn hen gapal y Tabernacl yn Mangor, adeilad sydd bellach yn fflatiau henoed. Fel arfer, fe fyddai angan trwsio lampau ar gyfer y daith nesaf.

Ar adegau tawel fe fydden ni'n gweithio a chydweithio gydag adrannau drama prifysgolion. Yn y Brifysgol ym Mangor fe fydden ni weithiau yn mynychu darlithoedd yr Albanwr gwyllt, gwallgof a hoffus hwnnw, John Cargill Thompson. Weithiau fe fyddai'n caniatâu i ni ymddangos mewn ambell gynhyrchiad. Roedd o mor wallgo, fe ddewisodd fi ar gyfer rhan yn *The Merchant of Venice*, sef Lancelot Gobbo. Ar wahân i orfod gwisgo teits, fe fynnodd fy mod i hefyd yn cerdded i mewn yn cario pot piso.

Fe deithiais Gymru gyda'r Cwmni am tua thair blynedd a hanner. Yr uchafbwynt, hwyrach, oedd Eisteddfod Genedlaethol Rhydaman 1970 lle'r oedd ganddon ni dri chynhyrchiad. 'Cofio Cynan' oedd un. Roedd Cynan wedi marw a Wilbert yn benderfynol o dalu'r deyrnged orau posib iddo. Ond roeddan ni mor brysur fel i ni gynnig llwyfannu sioe o'r enw 'Anghofio Wilbert'.

Cynhyrchiad arall oedd 'Y Gofalwr', cyfieithiad o *The Caretaker*, gyda Meredydd Edwards, Gwyn Parry ac Owen Garmon. Y trydydd oedd 'Roedd Catarina o Gwmpas Ddoe', drama gan Rhydderch Jones yn adlewyrchu ei ddiddordeb mawr yng ngwlad Groeg.

Fe symudon ni i Rydaman wythnos cyn yr Eisteddfod. Gyda thri chynhyrchiad, golygai newid setiau, newid systemau goleuo a sain rownd y rîl ac, erbyn wythnos yr Eisteddfod, roeddan ni wedi gweithio'n hunain i'r eithaf.

Roeddan ni i gyd yn aros dan yr unto, yn y Gelli Aur, ac yno, ar y penwythnos cyn yr Eisteddfod, fe ddatblygodd sefyllfa ddiflas. Blinder oedd yn gyfrifol am yr hyn ddigwyddodd, mae'n rhaid gen i. Fel y pethau ifanc roeddan ni, fe aethon ni dros ben llestri un noson gan redeg o gwmpas a churo drysau.

Yn aros yno gyda ni roedd Allan Cooke, o'r Welsh Theatre Company, ein chwaer-gwmni Saesneg, ac roedd o gyda ni ar ryw fath o grant i fagu profiad. Fe alwodd bawb ohonom at ein gilydd a rhoi i ni'r ddarlith ofnadwy yma, yn union fel petai prifathro yn ceryddu disgyblion blwyddyn gynta. Roeddan ni i fod yn gwmni proffesiynol, medda fo, ond doedd o erioed wedi gweithio gyda chwmni mor amaturaidd a da i ddim.

Dyma un o'r actorion, Dylan Jones, yn codi ac yn deud na châi neb siarad ag o yn y modd yna a dyma Allan Cooke yn deud wrtho, os nad oedd o'n hapus, am iddo fynd. A dyna wnaeth o. Fe'i dilynwyd gan Dafydd Hywel a phawb o'r criw technegol. Ac yn ein clustiau wrth i ni adael fe glywson ni'r geiriau, 'Iawn, 'da chi i gyd wedi cael y sac.'

Pwy ddaeth i'n cyfarfod wrth i ni adael ond Wilbert, 'Hylo, bobol,' medda fo. 'Ble 'da chi'n mynd?'

Ninnau'n adrodd yr hanes wrtho.

'O, we!' medda fo, fel petai o'n trin defaid. Arweiniodd ni yn ôl ac o fewn pum munud roedd o wedi tawelu'r dyfroedd a phawb ohonom yn ôl yn y gorlan. Ond y gwir amdani oedd i ni fod o fewn pedair awr ar hugain i beidio â llwyfannu yr un cynhyrchiad yn Rhydaman. I Wilbert oedd y diolch fod y sioeau wedi'u hachub ac, o hynny ymlaen, gydol yr wythnos, gyda ni yn ein bws mini y teithiai, rhyw arwydd bach o undod.

Roedd yr awydd ynof fi o hyd i fod yn y golau ar y llwyfan yn hytrach nac yn y tywyllwch y tu ôl i'r set. A dyna oedd yn digwydd, yn arbennig yn Rhydaman. Byddai Meical Povey, fel rheolwr llwyfan, bob nos ar ddiwedd perfformiad yn galw dros y system *tannoy* bach mewnol ar bawb o'r technegwyr i ddod at ei gilydd. Wedyn, fel roedd cast y cynhyrchiad yn sefyll ar y llwyfan i gymryd eu bow, fe fyddai Meical yn ein cael ni i sefyll mewn un lein y tu ôl i'r set. Ac fel y byddai'r llenni'n agor i ddangos yr actorion, a'r rheiny'n derbyn cymeradwyaeth, fe fydden ninnau'n bowio y tu ôl i'r set. Fyddai neb yn ein gweld ni ac fe fydden ni'n chwerthin wrth ei wneud o, ond eto roedd o'n rhywbeth symbolaidd a oedd yn cydnabod ein cyfraniad ni, y criw cefn llwyfan. Roedd o'n ffordd gan Meical i ninnau gael ein clap.

Ar ôl Rhydaman, 'nôl â ni i Fangor. Roedd cytundeb rhai yn dod i ben, eraill yn symud ymlaen i borfeydd brasach. Erbyn hyn roeddwn i'n teimlo y dylwn i fynd ati i ennill mwy o gyflog a phetai Wilbert wedi cynnig dau swllt yn fwy i mi, fe faswn i wedi aros. Ond na. Fe gymerais i hyn fel esgus i adael. Fe wnaeth y blinder fi yn fwy ymwybodol o'r angan i fod yn ôl yn y golau fel roeddwn i gynt wrth gyflwyno bandiau yn Neuadd Goffa Penrhyndeudraeth.

Roedd yr hen awydd wedi codi hefyd i weithio ar y llwyfan yn hytrach na'r tu cefn, i weithio dan y goleuadau yn hytrach na'u gosod. Ond doedd gen i ddim syniad beth oeddwn i'n mynd i'w wneud.

'Nôl yn y Golau

Y ffordd yr es i yn ôl i'r golau oedd defnyddio'r profiad oedd gen i fel y DJ Plumey Saesneg, y profiad oedd gen i o lwyfannau, y profiad oedd gen i fel trydanwr trwyddedig, y profiad oedd gen i ar gyfer addasu neuadd a chreu effeithiau arbennig fel cynllunydd goleuadau. Rhoi'r cyfan at ei gilydd i greu act newydd.

Ar ben hyn roedd yr iaith Gymraeg wedi ennill ei lle ar lwyfannau Cymru. Yn wir, gymaint oedd ein profiad ni gyda Chwmni Theatr Cymru, roedd galw arnom hefyd i weithio i'r Welsh Theatre Company, wedi'i leoli yn Clifton Street, Caerdydd. Teimlad braf oedd meddwl fod y rheiny yn gorfod codi'r ffôn i ofyn i Wilbert am fenthyg rheolwr llwyfan, cynllunydd goleuadau neu saer. Roedd Wilbert, mewn dim o amser, wedi creu niwcliys fyddai'n medru mynd i weithio i unrhyw theatr. Fe alwodd Meical Povey a minnau i'w swyddfa'r tro cynta y digwyddodd hynny.

'Mae Mr John Charnley wedi ffonio o Gaerdydd. Mae o am i chi fynd i weithio iddo fo ar gynhyrchiad. Chi, Meical, i weithio fel rheolwr llwyfan, a chi, y Meical arall fel cynllunydd goleuadau. A mi rydw i wedi deud wrtho fy mod i'n danfon y rhai gora sy' gen i.'

Bobol bach, roeddan ni'n teimlo'n bwysig. Yn gewri mawr. Ac mi roeddan ni'n bwysig, diolch i Wilbert. Mynd ar y trên o Fangor i Gaerdydd, Povey a minnau, a'n pennau i fyny. Rhywun yn dod i eistedd yn ein hymyl, a ninnau bron torri'n boliau isio i bobol wybod be' oeddan ni'n mynd i'w wneud. Siarad yn uchel gan enwi gwahanol theatrau fel bod pawb yn clywed. Be' oeddan ni isio oedd i rywun ein holi i ble oeddan ni'n mynd. I'r coleg, hwyrach? A ninnau'n medru ateb ein bod ni'n gweithio mewn theatr.

Buom yn gweithio ar rai o'r cynhyrchiadau Saesneg, ac fe fuon nhw'n llwyddiannau mawr. Peth braf oedd darllen y *crits* yn y papurau yn ein canmol ni. I Wilbert oedd y diolch eto.

Yn ystod y flwyddyn, i fyny at Eisteddfod Bangor 1971, roedd Hywel Gwynfryn a Huw Ceredig wedi bod yn cynnal discos Cymraeg yn Barbarella's yng Nghaerdydd. Roeddwn i'n adnabod Huw drwy'r Urdd a thrwy wahanol gyfarfodydd Cymdeithas yr Iaith ond doeddwn i ddim wedi cyfarfod â Hywel Gwynfryn. A'r disco Cymraeg cynta a drefnais i oedd ym Mangor ym 1971, yn Neuadd y Santes Fair, ger adeilad y Fyddin Diriogaethol heddiw – Disco Teithiol Mici Plwm. Huw Ceredig oedd wedi'i ddewis fel y prif droellwr ac fe gefais i fynd yno yn ei sgîl. Bu'r fenter yn llwyddiant ysgubol gyda channoedd wedi troi i fyny.

Rhyfedd meddwl am rai o'r recordiau gafodd eu chwara yno. Hogia Llandegai, wrth gwrs. Eu record nhw, 'Bangor '71', oedd record y Steddfod. Ond, gan fod gen i gysylltiadau o hyd â Recordiau'r Cob, fe fyddwn i'n cael recordiau offerynnol o recordiau Saesneg – neu'n hytrach Americanaidd – y siartiau i'w cymysgu â recordiau Cymraeg i fywiogi peth ar y noson. Caneuon fel 'Wooly Bully' Sam the Sham and the Pharaos a

'Green Onions' Booker T and the MG's. Fe fyddwn i'n gwneud pwynt o chwilio am recordiau poblogaidd offerynnol i lenwi'r bylchau.

Parhaodd Disco Teithiol Mici Plwm am nifer o flynyddoedd. Dyna oedd fy swydd i, fy mywoliaeth, byddwn yn gweithio bedair neu bum noson yr wythnos o gwmpas Cymru. Yr un system â Chwmni Theatr Cymru oedd gen i yn fy meddwl. Gweithio lawr yn Hendy Gwyn ar Daf, hwyrach, llogi fan a chael rhywun i ngyrru i lawr, gan nad oeddwn i'n gyrru. Enj fyddai'n gyrru fel arfer. Roedd gan Arthur Morus a Robin Huws fan ynghlwm wrth eu busnes melin wlân ac fe daethon ni i ryw drefniant o logi'r fan pan oedd ei hangan. Ambell waith, un o fyfyrwyr Bala Bang neu un o'r colegau eraill fyddai'n fy ngyrru, Tecwyn Ifan, Rhys Tudur, llawer iawn ohonyn nhw. Fe fyddai gen i *roadies* hefyd. Un ohonyn nhw oedd Robin Samuel.

Yr un feddylfryd ag un y Cwmni Theatr. Cyrraedd y lleoliad, gosod yr offer a'r goleuadau a'r set. Y tyrau goleuadau yn fflachio i guriad y caneuon wedyn. Byddwn i'n newid stafell neu neuadd i fod yn rhyw fath o glwb nos ac yn gwerthu fy hun drwy ddeud 'Disco distop am dair awr a hanner'. Roeddwn i wedi tyfu 'ngwallt yn hir dros fy ysgwyddau a thyfu locsyn hir ac yn gwisgo pâr o *dungarees*. Ceisio creu rhyw bersonoliaeth oedd yn gweddu i'r byd pop. A dyna fi, yn ddiscoteciwr llawn amser a hynod boblogaidd.

Ochr yn ochr â hyn fe ddechreuodd Cwmni Sain. Golygai hyn fod mwy a mwy o recordiau addas i ddisco yn cael eu cynhyrchu. Roedd y ddau ddatblygiad yn rhyw gydredeg a chyd-dyfu gydol yr amser y bu Disco Teithiol Mici Plwm yn bod.

Yn y cyfamser roedd Wilbert â'i glust ar y ddaear hefyd. Yn cydfynd â llwyddiant y disco yn Steddfod Bangor ac un arall wythnos yn ddiweddarach yng Nghorwen, fe aeth o ymlaen i drefnu 'Sachliain a Lludw' ac fe agorodd yn y Coleg Technegol – sioe lwyfan anhygoel gyda Meic Stevens a Heather Jones ynghyd â'r defnydd o oleuadau.

Y flwyddyn wedyn, yn Steddfod Hwlffordd, fe gynhyrchodd y Cwmni Theatr sioe arall i bobol ifanc, 'Gwallt yn y Gwynt'. Cefais wahoddiad gan Wilbert i fynd i lawr i agor y sioe honno, a gâi ei chyfarwyddo gan Lyn T. Jones. Doedd Wilbert yn dal dim dig am i mi adael. Yno hefyd, gyda llaw, yn Hwlffordd y penderfynodd y Tebot Piws roi'r ffidil yn y to gan gyhoeddi o'r llwyfan eu bod nhw'n canu am y tro olaf. Roedd yna lawer yn teimlo'n ddiflas y noson honno.

Hwn oedd adeg gwir dwf y byd pop Cymraeg. Roedd y peth yn tyfu ac yn tyfu. Sain yn rhyddhau recordiau, a chyngherddau mawr yma ac acw. Fe wnes i barhau gyda'r disco am tua thair blynedd. Wrth i'r syniad dyfu, fe fyddwn i'n prynu pob math o offer newydd, y diweddaraf ar y farchnad. Symud gyda'r amseroedd drwy gyflwyno goleuadau olew, *strobes* ac ati. Un diwrnod daeth gwahoddiad gan y BBC drwy Meredydd Evans, y pennaeth adloniant ysgafn, i gyflwyno Disg a Dawn.

Roedd y BBC wedi arbrofi gyda Hob y Deri Dando ac wedi cychwyn Disg a Dawn gyda phobol fel Huw Jones a Ronnie Williams yn cyflwyno, ac Endaf Emlyn a Falmai Jones hefyd. Cefais alwad i fynd i weld Merêd. Roedd o isio newid y fformat ac fe ofynnodd a wnawn i gyflwyno'r sioe. Roeddwn i'n dal gyda'r gwallt hir a'r locsyn a'r *dungarees*, y ddelwedd oeddwn i wedi'i chreu ar gyfer y disco. Roedd y cyflwyno'n cael ei wneud o ben llwyfan uchel tebyg i bulpud a'r rhaglen yn hanner disco a hanner sioe bandiau.

Dyma gyfnod grwpiau fel Man, Racing Cars a Budgie – grwpiau di-Gymraeg ond gyda'r caneuon yn cael eu cyfieithu. Yr adeg honno y dechreuodd rhyw ddiddordeb mawr mewn canu gwerin a dyma gyfle i mi ailgydio mewn rheoli grwpiau. Roedd Sbardun yn aelod o'r grŵp Ac Eraill a dyma fo yn gofyn a wnawn i eu rheoli nhw er nad fi oedd eu rheolwr cynta. Grŵp wedi dod i'r fei yng Ngholeg y Drindod, Caerfyrddin oeddan nhw ac Eirug Wyn oedd eu rheolwr cynta. Roedd y tymor colegol yn dod i ben erbyn hyn ac roedd arnynt angan rhywun i drefnu pethe dros y gwyliau hefyd, hynny yw, rheolwr llawn amser.

Yr hyn y ceisiais i ei bwysleisio iddyn nhw oedd yr angan am broffesiynoldeb: union fwriad Wilbert gynt gyda ni, er na wnâi o ddefnyddio'r gair. Peidio troi i fyny'n hwyr, paratoi rhag blaen, gwybod be fydda nhw'n mynd i ganu, be' fyddai hyd y set, sicrhau fod yr offer yn iawn. Os bydden nhw'n canu i ffwrdd, fe fyddwn i'n sicrhau fod eu telerau nhw'n cynnwys gwely a brecwast mewn gwesty. Roedd hyn yn brofiad newydd sbon iddyn nhw.

Roedd cerddoriaeth gwerin wedi dechrau ennill ei blwyf ac roedd yr Hennessys yn boblogaidd iawn, ac Alan Stivel hefyd. Roedd Ac Eraill yn edmygwyr mawr ohono fo ac fe'i gwahoddwyd i ymddangos ar Disg a Dawn.

Euthum ag Ac Eraill drosodd i Lydaw i berfformio yn y Gyngres Geltaidd a dwi'n cofio i ni logi fan Mercedes newydd Shakin Stevens ar gyfer y daith. Tryc Tŵ fydden ni'n ei galw hi, o barch i Ifas Cariwr. Roedd hi'n fan mor fawr fel nad oedd yr offer yn cymryd ond chwarter y cefn, os hynny. Roedd yno gymaint o le ynddi fel i ni lwyddo i osod *three piece suite* a bwrdd mawr a chadeiriau ynddi. Roedd hi fel lolfa fawr symudol. A dyna lle'r oeddwn i'n gyrru gyda Sbardun wrth fy ochr a'r lleill i gyd yn eistedd yn y cefn.

Dyma groesi i Ffrainc heb wybod pa ffordd i'w chymryd. Agorodd Sbardun y ffenest a holi rhyw Ffrancwr ond gan na wyddai Sbardun ddim Ffrangeg ar wahân i eiriau'r hysbyseb cwmni te hwnnw ar y teledu, dyma fo'n gofyn, 'Avez vous un map?' Beth bynnag, fe wnaethon ni ddarganfod Nantes a Rennes a chael wythnos wych yn Llydaw. Cawsant ymddangos ar y teledu ac ar y radio yno a thrwy hynny fe lwyddais i gael gig iddyn nhw yng Nghernyw yng nghlwb Brenda Wooton. Roedd hon yn groesffordd iddyn nhw a cheisiais eu cael nhw i fynd yn broffęsiynol llawn amser. Roeddwn i'n barod i wneud hynny ond doeddan nhw ddim. Yr hen wendid Cymraeg yn codi'i ben unwaith eto, diffyg menter. Sbardun oedd yr unig un oedd yn barod i fentro. Fe geisiais eu hannog i ˙fentro am flwyddyn i brofi'r dŵr, fel petai ond na, roeddan nhw'n poeni am y teulu, am swyddi ac ati. Yn ddiweddarach fe brofodd Ar Log, wrth gwrs, fod y fath beth yn bosib.

Ond rwy'n sicr y byddai Ac Eraill, o fentro, wedi bod yn fawr iawn yn y byd gwerin.

Roeddwn i'n dal i gynnal y disco, gan gynnwys noson wythnosol lawr yn y Casino, clwb Cyril Clark yn y dociau, ac fe fyddai'r noson Gymraeg honno yn denu llond y lle. Erbyn hyn roeddwn i wedi symud o fflat yn rhif 10 Trem y Fenai ym Mangor i Gaerdydd. Roedd yna bobol amlwg wedi bod yn byw yn y tŷ yn eu tro: Dafydd Elis Thomas, Bruce Griffiths, Cenwyn Edwards, Dyfan Roberts, Alan Llwyd, Gwynn ap Gwilym ac Ifor, ei frawd, Til Roberts wedyn. Yn y fflat gwaelod roedd yr arlunydd Brenda Chamberlain yn byw. Roeddwn i'n gymydog iddi ac rwy'n fy nghicio fy hun hyd heddiw am beidio â sefydlu rhyw fath o gyfeillgarwch â hi. Hwyrach y buaswn i wedi prynu rhai o'i lluniau. Fe fydden i'n deud 'helo' wrth ein gilydd wrth basio ac weithiau, fe fyddai hi'n curo to ei fflat â choes brwsh llawr pan fyddai twrw yn dod o fflat Alan Llwyd a Gwynn ap Gwilym uwch ei phen. Alan Llwyd, gyda llaw, wnaeth newid enw'r lle o Menai View i Trem y Fenai.

Ychydig a wyddwn i ar y pryd am ei chysylltiad hi ag Enlli ac y byddwn i, ymhen blynyddoedd, yn dod i adnabod y lle mor dda.

Y cytundeb i gyflwyno Disg a Dawn fu'n gyfrifol am i mi symud i fyw i Gaerdydd. Fe ges fy nhaflu i mewn i ben dwfn y pwll gan orfod gwneud y rhaglenni yn fyw. Roedd y rhan fwyaf o'r hyn oedd yn Gymraeg ar y teledu bryd hynny yn cael ei wneud yn fyw. Byddwn i'n cyflwyno Disg a Dawn tua 5.30 ar bnawn Sadwrn. Roedd y rhaglen yn dilyn Doctor Who a, hyd heddiw, pan fydda i yn clywed cerddoriaeth electroneg y rhaglen honno, fe fydd y blew bach ar gefn fy ngwddw yn codi mewn ofn. Bydd rhaid i mi anelu am y toiled agosaf am ei fod yn fy atgoffa i o hyd o fod yno, a'r rheolwr llawr, Brydan Griffiths yn deud, 'Reit, deg eiliad a rydan ni ar yr awyr'. Mi fyddwn i'n gweld teitlau Doctor Who yn croesi'r sgrîn a, deg eiliad yn ddiweddarach, mi oeddwn i ar fy mhen i mewn i Disg a Dawn. Yn ystod yr eiliadau yna fe fyddwn i'n fy holi fy hun, 'Be' dwi'n neud yma?'. A'r ofn mawr oedd y byddai fy llais yn dod allan fel gwich.

Du a gwyn oedd y rhaglen bryd hynny. Deuai Max Boyce i mewn weithiau gyda chân fyrfyfyr, yn aml am gêm oedd o newydd fod ynddi. Fe fyddai Meic Stevens yno'n aml iawn, a'r Diliau a'r Triban a'r Hennessys. Ruth Price fyddai'n cynhyrchu a Rhydderch Jones yn cyfarwyddo. Ar ôl y rhaglen, roedd hi'n cymryd rhyw deirawr i mi ddod yn ôl â 'nhraed ar y ddaear. Fe fydden ni'n mynd draw o stiwdio Broadway i glwb y BBC i gael rhyw beint neu ddau i ymlacio.

Tra byddai Disg a Dawn yn cael ei ymarfer a'i ddarlledu fe fyddai yna raglenni eraill yn cael eu paratoi yn Broadway, wrth gwrs ac fe fyddai pawb yn defnyddio'r clwb a'r cantîn. Roeddwn i yn y cantîn unwaith, yn adnabod fawr neb ac yn ymddangos yn nerfus. Un peth oedd mynd o gwmpas yn trefnu discos gyda gwallt hir a locsyn a chael fy nisgrifio mewn cân gan Endaf Emlyn, 'Mici Plwm fel dyn o'i gof'. Peth arall oedd cyflwyno rhaglen fyw. I weithio ar deledu roeddwn i'n gorfod pwyllo rhyw ychydig. Ataf yn y cantîn daeth dau yr oeddwn i'n eu heilunaddoli – Ryan a Ronnie. Ychydig nosweithiau ynghynt roeddwn wedi'u gweld nhw ac Alun Williams, Hywel Gwynfryn, Bryn

Williams, Myfanwy Talog a Derek Boote yn Neuadd Idris, Dolgellau ac wedi meddwl eu bod nhw'n wych. Daethant draw ataf a chyflwyno'u hunain a dyma Ryan yn gofyn i mi a oeddwn i'n nerfus. Finna'n cyfadda fy mod i yn ofnadwy o nerfus. Yntau'n closio a deud wrtha i'n dawel bach, 'Cymer air o gyngor. Y dydd fyddi di ddim yn nerfus, rho di'r gora iddi.' A dros y blynyddoedd mae ei gyngor wedi aros yn fy meddwl. Mae unrhyw berfformiwr gwerth ei halen am i'w berfformiad fod y gora posib ac yn naturiol mae o'n nerfus. Hwyrach nad nerfus yw'r gair. Poeni yw'r gair iawn, hwyrach. Felly, be' oedd Ryan yn ei olygu oedd, petawn i'n mynd fel arall, yn or-hyderus a meddwl mod i'n gwybod y cwbwl, ac yn wynebu cynulleidfa neu gamera heb unrhyw bryder, dylwn roi'r ffidil yn y to. Y pryder a'r consyrn sy'n gyfrifol am godi perfformiad, am y rhuthr yn y gwaed. Dyna pam wedyn mae angan amser i gael y traed yn ôl ar y ddaear.

Erbyn hyn hefyd roeddwn i wedi dechrau cefnogi Cymdeithas yr Iaith. Un waith, dwi'n cofio, daeth criw o'r Gymdeithas i'r stiwdio a chloi eu hunain i mewn yn un o'r stafelloedd. Roedd yna ofnau na allai Disg a Dawn fynd allan y noson honno ond, o ddallt y gallen nhw amharu ar raglen Gymraeg, fe aethon nhw allan.

Ychydig yn ddiweddarach, o gofio fod y rhaglen yn fyw, fe ddaliais i ar fy nghyfle i wneud fy mhrotest fach fy hun. Trefn y dydd oedd cyrraedd y stiwdio erbyn deg y bore a mynd drwy drefn y rhaglen, y *running order*. Roedd angan wedyn ymarfer y sain a'r camerâu. Minnau wedyn yn ymarfer fy lincs wrth agor, cyflwyno'r gwahanol acts, a chloi. Roedd modd wedyn amseru'r rhaglen. Yn y rhan o'r pulpud lle roeddwn i'n siarad ohono roedd offer chwara recordiau, lle byddwn i'n chwara dwy neu dair o recordiau newydd. Un tro fe gymerais i arnaf fy hun i ddeud, 'Ac roedd y record arbennig yna wedi'i chyflwyno i bedwar sydd yn y carchar yn Lloegr dros yr iaith. Gobeithio bod pawb sy'n gwylio Disg a Dawn heno yn eu cefnogi nhw a gobeithio eu bod nhw'n gysurus yng Ngharchar Ei Mawrhydi'.

Roedd y pedwar yn y carchar am iddyn nhw dorri i mewn yn gynharach i stiwdios y BBC yn Broadway. Fe ddaeth y rhaglen i ben, y teitlau'n rhedeg a'r stiwdio'n cael ei chau i lawr. I lawr a minnau o'r pulpud. Roedd yna hen risiau tro yn disgyn o'r oriel reoli yn y top a dyma glywed twrw traed yn dod i lawr y grisiau metel. Pwy oedd o ond Hywel Williams, y dyn chwe troedfedd a hanner oedd yn cyhyrchu'r rhaglen. Dyma fo'n cydio yno'i gerfydd fy ngwddw a gofyn be' goblyn oeddwn i'n feddwl oeddwn i'n wneud? Finna'n cymryd arnaf na wyddwn i ddim beth oedd o'n feddwl. Oeddwn i wedi rhegi? Os oeddwn i, yna rhaid i mi ymddiheuro.

'Ti'n gwybod yn iawn be' dwi'n feddwl,' medda fo. 'Fi fydd yn gorfod bod yn atebol. Fi fydd yn gorfod mynd o flaen Owen Edwards fore dydd Llun.'

A dyma fo'n rhoi pregeth i mi nes oeddwn i'n stympian. Bron na wnaeth o 'nharo fi. Yn y clwb wedyn, fi oedd ar ben pob sgwrs. Pawb yn syllu o hirbell, a nifer yn cefnogi'n dawel bach. Hywel Williams yn dod draw bob hyn a hyn a dwrdio ond fe dderbyniais gefnogaeth dyn camera, yr Albanwr Ken Mackay.

'Leave the wee laddie alone,' medda fo wrth Hywel Williams.

Ond yn ôl y daeth Hywel Williams a'm bygwth i eto ac fe aeth yn ffradach rhyngddo fo a Ken. Fe hitiodd Ken o dan glicied ei ên nes oedd o'n fflat. Dyna lle'r oeddwn i'n eistedd wrth y bwrdd ar fy mhen fy hun yn edrych ar Ken Mackay a hwnnw'n edrych i lawr ar Hywel Williams a oedd ar wastad ei gefn ar y llawr ac yn datgan:

'*Now will you leave the wee laddie alone.*'

Ar ddiwedd y gyfres honno fe newidiodd Disg a Dawn ei ffurf a chefais i ddim cyfres arall. Roedd mwy o grwpiau roc yn ymddangos ac fe ddaeth tro arall ar fyd i minnau.

Morris Jones (fy hen daid) yn sefyll o flaen Capel Wesla, Llan Ffestiniog.

Mr a Mrs Ernest Barnett Harrison, Nain a Taid Llundain.

Nain a Taid Llanfrothen.

Dafydd Morris Jones – Taid (ar y dde); Huw Morris Jones – Dad. Chwarel yr Oakley, Blaenau Ffestiniog.

Lewis a Betty Jones (hen, hen daid a nain) yn sefyll tu allan i Ffriddgymen, Llangywer.

*Dad yn y fyddin.
Nid y fi sy'n y blaen!*

*Mam a Maureen, fy chwaer,
yn 14 mis oed.*

Fy 'photo call' cyntaf.

Miss Davies, Talsarnau a Charles a fi (chwith) ar lan môr Y Bermo.

Maureen, Monica, Malcolm a fi.

Cartref Plant Bryn Llywelyn.

Plant a Staff Bryn Llywelyn yn dathlu'r Nadolig.
Fi ar y dde yn y rhes flaen (sana i lawr at fy sgidia).

Miss Roberts, Tanygrisiau a Miss Williams, Blaenau a rhai o blant Bryn Llywelyn ar lan môr Y Bermo. Fi ar y dde yn y blaen – tywod yn y llygaid!

Dosbarth 4 Ysgol Gynradd Llan Ffestiniog, gyda'r athrawes orau yn y byd – Mrs Vaughan Jones. Fi ar y dde yn y cefn.

Nadolig Llan Ffestiniog; plant Bryn Llywelyn a phlant pentra Llan Ffestiniog.
Fi yn y 'cap ysgol'.

Plant Bryn Llywelyn a Mistar ar wyliau yn y Bermo
(y cyntaf o'r dde yn y rhes flaen ydw i).

Cyfoedion Ysgol Sir Ffestiniog.
Fi – canol yn y cefn.

Matron a Maureen.

School days are happy days!

Ymarfer ar gyfer y Daith Ganŵ i Sbaen '65.

MARINA - RHYL

NOS WENER
MAWRTH 1af 1974

DAWNS GWYL DDEWI

EDWARD H. DAFIS - AC ERAILL

DISCO MICI PLWM

8 - 1am   Tocyn 60c

'Ac Eraill'.

'The Infamous Coalition'.

Cawr 24 a Chawr 25!
Ifas y Tryc a Jo Bach.

Syr Wynff a Plwmsan yn
Universal Studios, Hollywood.

Yn teithio Cymru hefo 'Disgo Teithiol Mici Plwm'.

Mici Plwm, y DJ.

Ras hwylio y '5 Teyrnas' 1991.

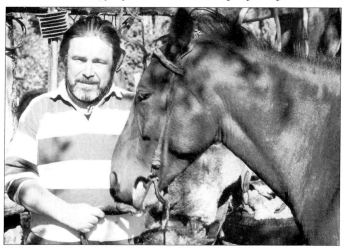

Paratoi i groesi'r paith – Patagonia.

Ar hen safle 'Stiwdio Broadway' y BBC yng Nghaerdydd.
Rhes Gefn (o'r chwith): Stewart Jones, Ralf Evans, George Owen, ?,
Ronnie Williams, Kenneth Griffith. Rhes Flaen: Victor Spinetti,
Hywel Gwynfryn, Jules, ?, y fi, Frank Hennessy, ?.

Cyfoedion Ysgol Sir Ffestiniog hefo'i gilydd unwaith eto: James Alan
Roberts (Jim), Maer Llandudno a fi.

Teifi a Gweneira – cefnder a chyfnither – disgynyddion
Elizabeth Jones, chwaer Morris Jones (fy hen daid).

Dilwyn (Porc) Morgan – y morwr
llon gyda'r chwerthiniad iach!
Fy ffrind pennaf.

Cyfeillion Enlli:
Ems a Gwynn ap Gwilym.

Ar fwrdd y 'Soren Larsen' – Ymddiriedolaeth Hwylio y Jubilee gyda ffrind, Hywel (Honci) Williams.

'Panache' ym mae Pwllheli. Victor Jones a'r 'criw' gorau yn y byd – hogia Pen Llŷn.

Ems a Pat, Nellie Evans (Nain Enlli) a Gwydion – dyddiau da ar Ynys Enlli.

John Pierce Jones (Bŵts), Rhydderch Jones a fi – Plaka (Athen).

Yn Shrinigar, Kashmir, yr India.

Ifan Defi, Jên, fi a Lyn ar Ynys Agistri yng nghwlad Groeg.

Raslas Bach a Mawr!

Un o raglenni teledu'r BBC, ar yr un adeg â Disg a Dawn, oedd 'Teliffant' gyda Wynfford Ellis Owen, Myfanwy Talog, Olwen Rees a Huw Ceredig. Ond roedd Pobol y Cwm ar fin cychwyn a Huw yn mynd i borfeydd brasach Cwm Deri.

Fe gefais i wahoddiad i ymuno â'r criw. Roeddwn i eisoes wedi bod mewn panto gyda Wynff yn 'Dan y Don'. Fi oedd Y Brenin Garalong Hirgoes. Hwn oedd ail neu drydydd panto Cwmni Theatr Cymru a doeddwn i ddim wedi cyfarfod â Wynff cyn hynny. Ef oedd yn chwara rhan Fferi Nyff ac fe gliciodd y ddau ohonon ni o'r dechra. Roeddan ni'n tynnu ymlaen yn dda ac roedd ganddo ni rhyw *rapport* yn y stafell newid. Doedd ganddon ni ddim golygfeydd gyda'n gilydd ar y llwyfan ond fe ddaethon i ddallt ein gilydd yn dda. Ac, o siario stafell newid, fe ddaethon ni'n dipyn o fêts ac rwy'n dal yn ffrindiau efo fo, mwy nag erioed, hwyrach.

Fo fynnodd mai fi oedd yn cael olynu Huw Ceredig yn 'Teliffant'. Fo ddwedodd os na châi o fi yn bartnar iddo, yna fyddai o ddim yn gwneud Teliffant dim mwy. Flynyddoedd wedyn y dois i wybod am hyn. Ddywedodd o erioed, dod i wybod drwy rywun arall wnes i.

Yr hyn wnaeth Wynff oedd newid pethau. Yn wreiddiol, fo oedd yr un twp, llywaeth a'i fawd yn ei geg a Huw Ceredig yn chwara'r un clyfar ond rŵan dyma fo'n troi i fod yr un gwirion. Roedd o hefyd yn chwara rhan ei ewythr, Syr Wili ap Helicopter Fychan. Olwen Rees oedd Oli Olwyn. Fe fuon ni'n hir yn ceisio cael enw i Myfanwy ac, yn y diwedd, enwyd hi yn Myf Taglog.

Fe fu Wynff a minnau yn ysgrifennu sgriptiau gyda'n gilydd o'r dechrau. Cyfres o jôcs 'cnoc-cnoc' oedd y 'Teliffant' cynnar, sgetshus byrion yn rhyw orffen yn ddigon poetshlyd gyda slepjan, sef cyfieithiad Wynff o *slapstick*. Fi fydda'n gorfod dioddef rheiny fwy na heb.

Yn ffodus roeddan ni'n siwtio'n gilydd fel pâr doniol heb i ni orfod agor ein cegau, fo yn slingyn main dros ei chwe throedfedd a minnau'n stwcyn bach, yn llai na phump a hanner. Mynd ati wedyn i greu osgo a gwisgo mewn ffordd ddoniol. Syr Wynff oedd yn cymryd rôl y dyn hollwybodus nad oedd yn gwybod dim mewn gwirionedd.

I mi mae Wynff yn actor arbennig iawn a hynod dalentog. Mae o'n medru bod yn actor strêt ac yn actor doniol. O ran ei amseru comedi, mi faswn yn ei roi fel y gora yng Nghymru, cystal os nad gwell na Ryan. Dydi o ddim wedi cael y rhannau iawn ar hyd y blynyddoedd. Fe fyddai Glyn Pensarn bob amser yn deud mai peth hawdd oedd bod yn wirion: peth arall oedd bod yn ddoniol. Medrai Wynff wneud y ddau.

Fe weithiodd Wynff a minnau gyda'n gilydd am ddeunaw mlynadd. Cyd-sgwennu, cyd-actio ac ymddangos gyda'n gilydd yn gyhoeddus. Lladdwyd Syr Wynff a Plwmsan ddwywaith, yn gynta gan Geraint Stanley Jones. Doeddan ni ddim yn disgwyl parhau am byth ond pan laddwyd ni'r tro cynta fe wnaethon ni geisio cadw gyda'n gilydd drwy agor carnifals a the partis. Fe wnaethon ni osod hanner tudalen yn *Y Cymro* yn ein hysbysebu'n hunain a chael, am ein trafferth, stincar o lythyr oddi wrth Geraint Stanley Jones. Roedd o'n gofyn i ni, i bob pwrpas, pwy goblyn oeddan ni'n feddwl oeddan ni? Y cwbwl wnaethon ni oedd cyhoeddi yn *Y Cymro*, ar ein cost ein hunain, fod Syr Wynff a Plwmsan yn barod i dderbyn gwahoddiadau i de partis, i dripiau Ysgol Sul, i unrhyw beth fyddai'n addas. Y gobaith oedd medru byw ar ymddangosiadau o'r fath. Ond doedd Geraint Stanley Jones ddim yn meddwl fod ganddo ni hawl. Y BBC oedd piau Syr Wynff a Plwmsan, medda fo. Beth petaen ni'n gwneud rhywbeth o'i le a dwyn anfri ar y Gorfforaeth?

Ychydig wythnosau wedyn dyma Wynff yn digwydd sôn am y peth wrth ein hasiant, Diana Tyler, ac aeth hi i fyny'r wal. Doedd gan y BBC ddim unrhyw hawl arnon ni, dim ond ar y logo. Ni oedd biau'r cymeriadau. Ni *oedd* y cymeriadau. Ni oedd biau'r sgriptiau. Ni oedd biau'r hawlfraint.

Yna daeth S4C i fodolaeth ac roedd angan deunydd. Fe sefydlodd Wynff a Dafydd Mei gwmni. Chefais i ddim cynnig ac fe gefais i fy mrifo gan hynny. Wedi'r cyfan, roeddwn i'n un hanner o'r sgriptio ac yn un hanner o'r act. Wyddwn i ddim fod yna gwmni yn cael ei sefydlu. O edrych o'r tu allan, petawn i am gynnig esgus dros y peth, roedd y ddau yn byw yn y gogledd tra roeddwn i yng Nghaerdydd. Hynny'n ei gwneud hi'n haws iddyn nhw. Mae'n wir eu bod nhw'n gwneud gwaith arall, ond prif fwriad sefydlu'r cwmni oedd ailsefydlu Syr Wynff a Plwmsan, a chreu gwaith. Ta waeth, fe ddaeth Cwmni Burum i fodolaeth.

Doeddwn i ddim, felly, yn rhan o'r cynllun. Dim ond cael fy nghyflogi i sgriptio ac i actio oeddwn i hefo Wynff. Ac, er ein bod ni'n cael hwyl garw wrth i Wynff drawsnewid ei hun yn llwyr dim ond wrth iddo wisgo cap a sbectol ac edrych yn groes, mi oedd yna dipyn o straen. Roedd Wynff mewn sefyllfa lle'r oedd gofyn iddo wisgo mwy nac un het. Roedd o'n gyfarwyddwr y cwmni, roedd ganddo ran yn y cynhyrchiad ac yn gorfod bod yn Syr Wynff. Fe fyddwn i'n gofyn iddo weithiau pa gap oedd o'n wisgo ar y pryd?

Roedd y rhaglenni, y gwaith gorffenedig, yn dal yn iawn ond mi oeddwn i'n teimlo ei fod o'n gorfod rhoi ei feddwl ar gymaint o wahanol bethau. Mi oeddan ni'n troi rhaglenni allan ar gyflymder anhygoel, un rhaglen hanner awr yr wythnos ac fe ddylid cofio fod y gwaith yn cael ei wneud ar ffilm. Oriau hir, ond roeddwn i'n mwynhau'r gwaith.

Nid ar chwara bach y ceid y rhaglenni'n barod. Roedd llawer o bobol yn y cyfryngau heb ddallt y sefyllfa, pobol a ddylai wybod yn well. Rwy'n cofio Gwyn Llywelyn yn cymryd rhan yn un o'r rhaglenni ac yn deud wrthon ni ei fod o'n teimlo ein bod ni'n adlibio'n wych. Fe neidiodd Wynff yn ôl mewn syndod gan esbonio fod popeth wedi'i sgriptio'n fanwl. Fe fydden ni'n eistedd am oriau bwy'i gilydd yn llafurio uwchben y sgriptiau.

Pan wnaethon ni symud i Burum, dim ond fi a Wynff oedd wrthi. Doedd Olwen a Myfanwy ddim yn rhan o'r peth. Fe newidiodd y rhaglen o fod yn 'Teliffant' i fod yn 'Anturiaethau Syr Wynff a Plwmsan'.

Ar ôl tua dau ddwsin o benodau, fe ddaeth cwmni Burum i ben. Wn i ddim pam, doeddwn i ddim yn rhan ohono. Daeth Emlyn Davies, comisiynydd gydag S4C ar y pryd, atom a'n comisiynu drwy gwmni arall, Ffilmiau Llifon, sef cwmni Gareth Lloyd Williams ac fe ddilynwyd yr un drefn eto a lluniwyd rhaglen ar ôl rhaglen.

Pan ddaeth yr ergyd farwol i'r gyfres, fe fu cryn ddrwg-deimlad. Teimlai Wynff a minnau nad oedd Gareth wedi gwneud safiad digon cryf i drio'n hachub ni. Hwyrach mai'r ffaith ein bod ni yn brifo gymaint ar y pryd wnaeth i ni feddwl hynny. Roeddan ni'n barod i feio pawb. Ond y gwir amdani oedd nad oedd o i'w weld yn poeni rhyw lawer, er gwaetha'r ffaith fod y gyfres yn rhan o'i gynhaliaeth o, ei gwmni a'i staff. Fe aeth o a'i gwmni ymlaen i gynhyrchu pethau eraill, wrth gwrs. Ac am gyfnod fe wnaethon ni amau ai S4C neu Gareth oedd am roi'r farwol i'r gyfres. Ddaethon ni byth at wraidd y peth.

Roedd y cymeriadau erbyn hynny wedi dod yn rhan o lên gwerin Cymru. Yn anffodus mae yna genhedlaeth heb eu gweld nhw, er eu bod nhw'n dal ar dapiau rywle ym mherfeddion canolfan S4C. Hwyrach y cânt eu dangos pan fydd Wynff a minnau yn hen ac yn fusgrell, fel a ddigwyddodd i *Sergeant Bilko*. Mae'n ein brifo ni pan glywn ni rieni plant heddiw yn deud sut oeddan nhw'n mwynhau'r gyfres. Mae yna dâp, oes, ond yn cynnwys dim ond tair rhaglen. Pan fydda i'n galw mewn ambell ysgol gynradd, a'r plant yno'n gyfarwydd â'r tâp hwnnw a'r athrawon yn fy nghyflwyno i, mae'n syndod iddynt weld fy mod i'n dal yn fyw.

Mae'n wir i ddeud fod Wynff a minnau yn gwarchod y cymeriadau yn ofalus iawn. Fysen ni byth yn gadael i neb eu camddefnyddio nhw. Roeddan nhw'n gymaint rhan ohonon ni'n hunain, o'n hiwmor ni a'r ffordd y bydden ni'n edrych ar y byd. Mi fydda Wynff yn dod â llawer o'i ffobias personol allan drwy gyfrwng y stori. Mi fydden ni'n eistedd am oriau yng nghartra Wynff yn trio meddwl am straeon. Yn aml mi fydden ni'n meddwl am bethau oedd wedi digwydd i ni yn ein bywyd go iawn. Er enghraifft, roeddwn i'n cofio fel y byddai Sali, merch fy mrawd, pan oedd hi'n fach ac yn gwylio Wynff a Plwmsan ar y teledu, yn edrych o'r sgrîn ata i ac yn ôl o hyd, yn methu dallt sut y medrwn i fod yn y tŷ ac ar y bocs yr un pryd. Roedd Emma, ei chwaer, a oedd ddwy flynedd yn hŷn na hi, yn cael hwyl fawr am fod Sali'n methu deud 'byblgym'. Roedd hi'n deud 'byglbym' ac fe fyddwn i wedyn yn addasu hyn ar gyfer Plwmsan mewn sgript. Gan fod y 'bym' yn 'byglbym' yn *risque* i Emma, roedd defnyddio'r gair 'pen-ôl' yn peri embaras i Wynff.

Fe fydden ni'n ofalus tu hwnt i ddefnyddio iaith lafar groyw. Fydden ni byth yn meiddio defnyddio iaith sathredig fel sydd ar y cyfryngau heddiw. Os nad oedd yna air Cymraeg cymwys am rywbeth, fe fydden ni'n bathu gair. Dyna darddiad 'Raslas!' ac 'Esgob!', ebychiadau mawr Syr Wynff. Rhegfeydd ydyn nhw mewn gwirionedd, ond rhegfeydd diniwed. Gan fod cymaint o blant yn gwylio ac yn eilunaddoli Syr Wynff a Plwmsan roedd hi'n hollbwysig i ni na fydden nhw'n efelychu iaith sathredig. Mater o lawenydd i ni oedd clywed Yr Athro Gwyn Thomas, Bangor yn mynd ati i ddefnyddio'r gair 'slepjan' yn un o'i gerddi. Roedd Bruce Griffiths yn ffan mawr hefyd, a Dafydd Glyn. Yn wir, roedd Dafydd Glyn yn annog ei fyfyrwyr i wylio'r gyfres er mwyn iddyn nhw werthfawrogi rhythm iaith naturiol, dywediadau coeth a defnydd o idiomau, er bod Plwmsan yn defnyddio'r idiomau o chwith.

Roedd Wynff a Plwmsan wedi datblygu i fod yn gymeriadau cwlt. Gwelai pobol eu gwiriondeb nhw'u hunain yn y cymeriadau ac nid i blant yn unig oedd apêl y gyfres, wrth gwrs. Roedd pobol yn eu hoed a'u hamser yn ffoli ar y cymeriadau. Dyna pam y gwnaethon ni bwysleisio fod y gyfres ar gyfer plant tan gant, plant dan gant a deg ar hugain heddiw, gan fod pobol yn byw mor hen.

Weithiau, yn anaml iawn, fe fydden ni'n cynnwys gair Saesneg, a hynny o bwrpas. Plwmsan, er enghraifft, yn bwyta'i ffordd allan o'r bocs cacennau ac yn deud, 'O, mae nhw'n *nice*.' Wynff wedyn yn gwylltio ac yn ei gywiro. Roedd gan Syr Wynff ddywediad a fyddai'n ddefnyddio droeon, 'Gwylia dy Gymraeg, y twmffat twp!'

Un ddyfais y gwnaethon ni ei defnyddio'n helaeth oedd 'ribl-di-rio', dyfais i lenwi saib tra bod angan i Wynff symud, hwyrach o un lle i'r llall. Byddai Plwmsan yn rhyw ganu iddo fo'i hun, yn hapus ei fyd, 'Ribl-di-ribl-di-bibl-di-ri' nes y byddai Syr Wynff yn rhoi stop arno gyda, 'O, hysh!' A Plwmsan wedyn yn herio'r Bos drwy edliw wrtho, 'Ddim ond eiddigeddus wyt ti am fod ti'n methu ribl-di-rio'. Fydda yna ddim 'Hysh!' arall, dim ond slepjan, a 'Rŵan ta'r twmffat twp!'

Yna'r busnes o osod fy mawd yn fy ngheg. Y gwir amdani yw fod yn rhaid i mi weithiau roi fy mawd yn fy ngheg. Roedd digrifwch Wynff mor anhygoel fel ei bod hi'n anodd iawn cynnal wyneb strêt. Un o'r ffyrdd o wneud hynny oedd gwthio fy mawd i 'ngheg a'i frathu fo bron iawn trwodd. Fe sylwai Wynff ar hyn ac fe fyddai'n taflu rhyw linell i mewn, 'Rho'r gora i'r chwerthin, wnei di, y twmffat twp!' Ac yn parhau gyda'r sgript. Ond yn hytrach na difetha golygfa dda drwy ei dorri allan, fe gâi'r sylw ei gadw i mewn.

Roedd hi'n anodd weithiau. Unwaith roeddan ni'n ffilmio wrth y lle graean ger Bryncir, lle'r oedd Wynff yn mynd i wneud ffortiwn, wrth gwrs. Mi oedd o'n trwsio rhywbeth ar y belt pwli, a minnau yn y cwt rheoli. Syr Wynff yn rhybuddio, 'Paid ti â meiddio cyffwrdd dy fysedd bach tew ar unrhyw un o'r nobiau yma. Ti'n gwybod be' ddigwyddith, ond wyt?' Minnau'n eistedd yn y cwt a Wynff wrthi gyda sbanar ar waelod y pwli, ei ben-ôl at y domen a'i wyneb tuag ata' i. Plwmsan yn mynd i'w fyd ei hun ac yn canu, 'Ribl-di-dibl-di-di'. Ond, wrth gwrs, mae'n rhaid i'w fysedd o symud i'r canu. Ac mae ei fysedd yn symud o un switsh i'r llall, pwyso pob un wrth fynd. Yn naturiol, dyma'i fys o'n cyffwrdd y botwm oedd yn cychwyn y belt a dyma Wynff yn cael ei gludo i ben y domen raean, yn dal i fynd i fyny ac i fyny. 'Wei! Plwmsan! Wei!' I fyny ag o i ben y domen, tua chan troedfedd o uchder, a Plwmsan ddim yn sylwi. Y belt yn ei daflu i ffwrdd a Wynff yn powlio i lawr, a hynny go iawn. Tîn dros ben tua deg o weithiau. Roedd o'n gleisiau byw. Roedd yn rhaid iddo, wrth gwrs, ddisgyn i bwll o laid yn y gwaelod. 'Esgob!' Wedyn martsio draw at y cwt. Roedd o ychydig lathenni oddi wrtha i a'i fwriad oedd fy nghodi i fyny a fy ysgwyd. Medrwn ei weld o gornel fy llygad a fedrwn i ddim peidio â chwerthin. Mi wnaethon ni dreio'r shot tua ugain o weithiau a Wynff yn dal i gael ei bowlio i lawr a minnau'n chwerthin. Gyda

Chwmni Llifon oeddan ni bryd hynny, a Gareth Lloyd Williams, y cynhyrchydd, yn mynd yn bananas.

Unwaith, roedd angan trwsio to Mrs Siop y Gongol. Yn hytrach na mynd at gwmni deunydd adeiladu i brynu llechen roedd yn rhaid i ni fynd i'r chwaral, wrth gwrs, ar y beic, fi'n eistedd ar yr handlbars a Wynff yn padlo fel rhywun gwallgof. Ar hyd y ffordd? Na, roedd hynny'n rhy syml. Roedd yn rhaid mynd ar draws caeau i lawr dibyn serth. Roeddan ni gymaint dan grwyn y cymeriadau fel na fydden ni'n gweld perygl, ddim yn teimlo unrhyw ofn. Ar waelod ein llwybr ni, be' oedd yno ond carreg yn y rhedyn. Hitio honno a'r ddau ohonon ni'n saethu i ffwrdd o'r beic, drwy'r awyr a landio mewn gwrych yn y gwaelod. Graham Edgar oedd y dyn camera, wedi bod gyda ni o'r dechrau, a wnaeth o ddim stopio'r camera. O'r eiliad y gwnaethon ni hitio'r garreg fe gadwodd y camera i redeg gan ei fod o'n gwybod y câi o shots da. Wedi i ni ddisgyn, fe gawson ni'n tynnu allan o'r gwrych ac fe fu'n rhaid mynd â mi i'r ysbyty. Roeddan nhw'n credu 'mod i wedi torri dwy neu dair asen ac wedi rhoi pont fy ysgwydd allan o le. Dwi'n amau fod Wynff wedi dioddef anaf i'w ben gan ei fod o'n cerdded am yn ôl ac yn rhedeg ar ôl cathod am wythnos wedyn.

Fyddai dynion stynt ddim wedi meiddio gwneud yr hyn fydden ni'n ei wneud. Dim ond unwaith erioed wnaethon ni ddefnyddio dynion stynt i wneud rhywbeth drosto ni, a hynny pan oedd ein moto-beic yn hitio wal a ninnau'n hedfan drwy ffenest rhyw dŷ.

Dro arall roedd Syr Wynff wedi penderfynu y bydden ni'n hwylio rownd y byd. Wynff wedi pwdu efo rhywun neu rywbeth ac yn bwriadu gadael Cymru. 'Ta-ta, Gymru fach, gwlad y cwangos, dyda ni byth yn dod yn ôl.' Hwyrach fod Wynff yn teimlo felly ar y pryd.

Dyma gael llong a gadael Cei Caernarfon. Fo oedd y Capten, wrth gwrs.

'Cod yr angor, Plwmsan.'

'O, Wynff, mae'r angor yn rhy drwm i forwr bach fel fi, Wynff.'

Tynnu a thynnu, ac yntau ar y *bridge*, wrth gwrs, hefo'i wisg Admiral a hanner cant o fedalau ar draws ei frest.

'Raslas bach a mawr, oes raid i mi wneud pob dim i helpu o gwmpas y llong?'

Felly, dyma'r ddau ohono ni'n ceisio codi'r angor – un, dau, tri, a thynnu, ac yn y blaen. A'r angor drom yn codi'n ara nes i mi benderfynu gollwng gafael er mwyn poeri ar fy nwylo i roi un tyniad arall. Ond wrth i mi ollwng gafael, dyma bwysau trwm yr angor yn gwneud iddi ddisgyn, a Wynff yn saethu dros ochr y llong. Wrth ochr y llong, o'r golwg, roedd cwch rhwyfo gyda matras wedi'i osod ynddo iddo fo lanio arno. Ond, dyma Wynff yn methu'r cwch ac yn disgyn ar ddarn o bren. Cleisiau unwaith eto.

Roedd y llanw allan a Doc Fictoria yn un gwely o fwd. Torri wedyn o Wynff yn hedfan drwy'r awyr i shot ohono'n glanio yn y mwd. Yr hyn wnaethon nhw oedd cael pedwar o bobol i gydio ynddo, freichiau a choesau, a'i daflu fo'n gorfforol a'i gael o i syrthio, ei wyneb i fyny ac yn gorwedd yn fflat, tua 35 troedfedd, a glanio ar ei gefn ar y mwd. Dyna oedd y bwriad. Pnawn dydd Sadwrn oedd hi, a dyna lle'r oeddwn i yn offrymu rhyw weddi fach uwch ei ben o.

'O, hysh, Plwmsan, dos o 'ngolwg i, wnei di. Go hêd, go hêd.'

Pawb yn barod, y sain yn barod, Graham Edgar yn barod efo'i gamera. Oedd Wynff yn barod?

'Esgob, ydw.'

Un, dau, tri – a dyma'i daflu fel plancyn. Fe aeth allan yn horisontal, yn dal i wynebu i fyny i'r awyr. Ar ôl pymtheg troedfedd, roedd o'n dal i fynd, ei goesau a'i freichiau ar led. Tua hanner y ffordd, fe drodd yn yr awyr a fe laniodd wyneb i waered yn y mwd. Roedd o mor broffesiynol, fe arhosodd yno am rai eiliadau er mwyn y camera. Yna dyma fo'n troi ei ben, a dim ond y sbectol yn sbïo arnon ni, a Graham Edgar yn gweiddi, 'Da iawn, Wynff. Gwych!' Ond y cyfan glywson ni gan Wynff oedd sŵn cyfogi. Roedd o wedi glanio lle'r oedd piben garthffosiaeth Caernarfon yn arllwys i'r môr. Roedd haenau o gachu'r canrifoedd yno, a Wynff wedi suddo drwy bob haen.

Fe'i codwyd i fyny yn drewi gymaint fel na fedrai neb sefyll ar ei gyfyl. Fi gafodd y job o'i hospeipio fo'n lân. Dyna lle'r oedd o yn ei drôns, y dŵr oer yn golchi drosto ac yntau'n ofni rhag iddo lyncu rhan o'r hyn oedd ar waelod yr harbwr. Bu'n rhaid mynd ag o i'r ysbyty i gael pigiad tetanws.

Dringo wedyn i ben Tŵr Marcwis yn Llanfairpwll, a fo, fel y Syr, yn penderfynu mynd i fyny gynta. Pwy oedd gyda ni ond Eric Jones, y dringwr byd enwog, a Wynff yn ymddiried yn llwyr ynddo fo, wrth gwrs. Roedd Eric wedi gosod harnes am ei ganol o ac wedi mesur y rhaff fel y maen nhw'n wneud mewn neidio bynji. I fyny aeth Syr Wynff fel *Spiderman,* a Plwmsan yn y gwaelod. Wrth gwrs, roedd yna risiau'n mynd i fyny y tu mewn ond doedd Syr Wynff ddim i ddallt hynny nes oedd hi'n rhy hwyr. Cyn iddo gyrraedd y top dyma Plwmsan yn rhoi plwc i'r rhaff a gofyn i Wynff a oedd o wedi cyrraedd? Ac i lawr ag o, wrth gwrs. Roedd Eric wedi mesur y rhaff mor berffaith fel y disgynnodd Wynff â'i draed dair modfedd o'r ddaear. Ond, bu bron i'r cwymp rwygo i ffwrdd ran arbennig o'i gorff.

'O, haia Wynff. Ti wedi mynd i fyny'n sydyn ac i lawr ynghynt.'

Bang! Slepjan!

Welais i erioed ddyn mor wirion. Gwneud ei stynts i gyd ei hun ac yn gleisiau byw o wythnos i wythnos. Roedd y ddau ohonon ni â'r un feddylfryd. Os oedd angan bwcedaid o ddŵr, dewch â phedair bwcedaid. Gorwneud y stynt bob tro er mwyn cael yr effaith gora posib. Fel yn y rhaglen pan wnaethon ni fynd i'r chwaral i nôl llechen i Mrs Siop y Gornel. Defnyddio llawer gormod o bowdwr. Dod yn ôl ag un llechen ond y chwaral wedi'i chwythu'n yfflon.

Syr Wynff a Plwmsan yn ymuno â'r fyddin wedyn. Ac yn lle defnyddio *extras* fel milwyr, mynd at filwyr go iawn yn ochra Caer. Roedd yn rhaid cael gwers ar daflu bomiau llaw, wrth gwrs, a Plwmsan, fel y gellid disgwyl, yn cadw'r bom a thaflu'r pin.

Mewn un bennod roedd angan llong bysgota a dyma logi un go iawn. Ond y ddau gyfaill, wrth bysgota, yn dal ffrwydryn a'r ddau yn ddigon twp i feddwl mai pysgodyn oedd yn y rhwyd. Yna'n ei rostio mewn barbeciw yn yr ardd. Mae'r stâd dai gyfan yn cael ei difetha a Syr Wynff a Plwmsan yn cael eu chwythu i ben to'r capal, yn ddu o'n pen i'n traed a'n cyllyll a ffyrc yn dal yn ein dwylo. Ymateb Syr Wynff, wrth gwrs, oedd 'Ŵtsh!'

Mae'n bechod meddwl nad yw'r rhaglenni'n cael eu hailddangos. Nid am resymau hunanol fel tâl ailddarlledu. Mae'r undebau wedi sicrhau mai bach iawn fyddai'r tâl hwnnw, beth bynnag.

Y sefyllfa oedd fod pobol mewn awdurdod yn edrych ar y gyfres fel rhywbeth i blant. A'r hyn oeddan nhw'n ei ddisgwyl, felly, oedd rhywbeth plentynnaidd. Ond mae plant yn llawer mwy soffistigedig nag y mae'r bobol hyn yn ei dybio. Fedrwch chi ddim twyllo plant. Pan fo rhywun yn taro'i fys â morthwyl, mae plant yn sylweddoli mai actor sydd wrthi yn cogio. Ond fe fyddai Wynff a minnau yn brifo go iawn.

Yn y cyfamser mae'r tapiau yno o hyd yn hel llwch. Pan fydd Wynff a minnau wedi hen fynd, hwyrach y gwna rhywrai, yn eu doethineb, ddod â nhw'n ôl.

Dydw'i ddim yn meddwl y byddai hi'n bosib creu cyfres newydd eto. Fe fyddai Wynff yn cael ei gamgymryd am Mr Pastry a minnau am Oliver Hardy. Mae Wynff a minnau wedi heneiddio. Nid dau Peter Pan tragwyddol mohono ni.

Ar ôl bod gyda'n gilydd am ddeunaw mlynadd, fe welodd S4C yn dda i ddod â'r gyfres i ben. Ac, erbyn hyn, mae yna un mlynadd ar ddeg ers i'r penderfyniad hwnnw gael ei wneud. Fe gafodd Syr Wynff a Plwmsan, felly, eu lladd ddwywaith, yn gynta gan y BBC ac yna gan S4C.

Doedd ganddo ni ddim 'mo'r hawl i bara am byth ond, ar y pryd, roeddan ni'n teimlo fod yna ddyfodol i'r gyfres ac roeddan ni am ei hachub. Aethom ati i ymgyrchu drwy gyfrwng y cymeriadau. Ein teimlad ni oedd, os oeddan ni'n mynd i fynd lawr, yna roeddem am fynd lawr yn gweiddi a sgrechian. Doeddan ni ddim yn bwriadu mynd yn dawel.

Yn Eisteddfod yr Urdd yng Nglynllifon fe fuon ni wrthi drwy'r wythnos yn ymgyrchu. Fe lwyddwyd i gasglu deiseb o 30,000 o enwau. Trefnwyd i gyflwyno'r enwau i S4C gan un o'n ffans mwyaf, Dafydd Wigley. Fe wyddai S4C am ein bwriad ond fe wnaethon nhw'n siŵr na fyddai neb mewn awdurdod yno i dderbyn y ddeiseb.

Fe fu hi'n anodd iawn cael gwaith actio am gyfnod gan fod pawb yn meddwl amdanon ni fel Syr Wynff a Plwmsan. Doedd y rhai oedd yn castio ddim yn sylweddoli mai actorion oeddan ni, actorion oedd wedi bod yn cymeriadu. Fe dalon ni'n ddrud am roi popeth i mewn i'r cymeriadau.

Chawson nhw ddim eu lladd yn y bennod olaf. Wnaeth neb ddeud wrthon ni, wrth i ni weithio ar y gyfres, mai honno fyddai'r olaf. Felly doedd hi ddim yn bosib i ni drefnu ein bod ni'n dau'n mynd i ebargofiant. Deud wrthan ni wedyn wnaeth S4C. Mae'r cymeriadau, felly, yn dal yn fyw a'r tapiau'n dal ar y silffoedd rhywle ym Mharc Tŷ Glas. Ond mae pobol yn dal i gofio, yn cynnwys llawer o bobol ddi-Gymraeg. Roedd y cyfan mor weledol – roedd o fel cartŵn strip, bron iawn. Fe allai unrhyw un ddilyn yr helyntion.

Fe gadwyd y cymeriadau'n fyw am gyfnod yn y comic Penbwl. Y cyfan fedrwn ni ei ddisgwyl bellach yw i ryw gomisiynydd goleuedig ar S4C gofio faint o bleser gafodd o neu hi wrth wylio'r rhaglenni pan yn blentyn, a theimlo y gallai plant heddiw gael yr un pleser o wylio'r tapiau sydd yn yr archif.

Yn Gaeth i Alcoholig

Rhaid troi rŵan at y bennod fwyaf anodd i'w chofnodi – salwch Wynff. Mae pawb yn gwybod erbyn heddiw fod Wynff wedi dioddef o'r salwch uffernol hwnnw, alcoholiaeth. Roeddwn i'n ymwybodol o'r ffaith o'r cychwyn cynta. Ac mae o wedi bod yn ddigon dewr i ddod allan a deud wrth bawb y math o fywyd roedd o'n ei fyw.

Wn i ddim a yw hyn yn ddeud rhy fawr, ond roedd o'n gaeth i alcohol a minnau'n gaeth i alcoholig. Ond, i droi'r cloc yn ôl, roeddwn i'n gwybod pwy oedd Wynff cyn i mi ddechrau gweithio gydag o ar Wynff a Plwmsan. Fo oedd yn cyfarwyddo sioe 'Nia Ben Aur', sydd bellach ddeng mlynadd ar hugain yn ôl ac yn mynd i gael ei hatgyfodi fis Chwefror 2003. Rwyf innau, fel Cyfarwyddwr Artistig Theatr Ardudwy bellach, wedi gwahodd y sioe i berfformio yno.

Pan lwyfannwyd y sioe gynta, rhyw ofalu am y grŵp Ac Eraill oeddwn i, grŵp yn cynnwys pobol fel Tecwyn Ifan a Sbardun. Yn y cast gwreiddiol roedd Heather Jones, a hefyd Caryl Parry Jones oedd yn y grŵp Sidan bryd hynny. Roeddwn i'n ymwybodol iawn o waith Wynff ac yn edmygu o hirbell y ffaith fod hwn wedi dod o Goleg y Castell Caerdydd ac yn mynd ati i lwyfannu'r sioe roc gynta erioed yn Gymraeg, a hynny yn Eisteddfod Caerfyrddin.

Doedd y sioe, i fod yn onest, ddim yn rhyw llwyddiannus iawn yn dechnegol gan iddynt gael helynt garw gyda'r meics. Fyddai'r Eisteddfod bryd hynny, hwyrach, ddim yn paratoi'n ddigon trylwyr ar gyfer cynhyrchiad cyn i gystadlu'r dydd ddod i ben. Mae gen i frith gof bod rhyw gystadleuaeth gerddorol bwysig ar y llwyfan tan tua hanner awr wedi deg ac wedyn criw technegol 'Nia Ben Aur' yn gorfod mynd ati i wneud y gwaith technegol, gosod lefelau meics ac ati, yn cynnwys meics radio bryd hynny, math oedd yn anodd iawn i'w gosod o ran lefelau. Chafodd y llwyfaniad ddim y chwara teg y dylai fod wedi'i dderbyn gan yr Eisteddfod.

Ar ôl cyfarfod â Wynff yno, fe aethon ni ymlaen i weithio mewn pantomeim efo Cwmni Theatr Cymru, 'Dan y Don'. Y Brenin Garalon Hirgoes oeddwn i, rhyw fath o Neptiwn Cymraeg. Doedd dim angan gwallt na barf hir gosod arna'i gan fod y rheiny gen i eisoes. Wynff oedd yr enwog Fferi Nyff.

Wrth deithio gyda'r panto fe wnaeth Wynff a minnau, fel y crybwyllais yn gynharach, rhyw glicio. Cymeriad Wynff oedd arwr mawr y sioe. Doedd ganddo fo ddim cymaint â hynny o linellau i'w llefaru, dim ond dod ar y llwyfan, cerdded o gwmpas a deud ambell air. Ond, fel y dywedai Rhydderch Jones byth a hefyd, mae seibiau yn aml yn bwysicach na geiriau.

Yn y stafell newid, lle bydden ni'n eistedd wrth ochr ein gilydd, fe fyddai rhyw fath o *double act* rhyngom, Wynff, hwyrach, yn clicio'i fysedd a minnau'n pasio'r colur. Roedd angan llawer o golur, yn enwedig un coch ar gyfer y minlliw. Beth oedd Fferi Nyff oedd camgymeriad dewin: yn lle creu Tylwythen Deg brydferth roedd wedi creu'r Dylwythen Deg hyllaf bosib, yn gwisgo sgidiau mawr, cryfion.

Yn dilyn y daith fe aeth Wynff yn ôl i'r BBC i wneud 'Teliffant' a minnau wedyn yn ymuno ag o yn ddiweddarach, ar ei gais o. Rwy'n tybio i mi sylweddoli yn ystod teithiau'r panto fod ganddo fo 'broblem'. Doeddwn i ddim yn sant, o bell ffordd. Roedd rhywun yn gweithio'n galed ac yn chwara'n galed, un felly oedd bywyd actorion teithiol. Felly mae hi hyd heddiw ac felly bydd hi tra bydd yna theatr. Gorwedd yn y gwely yn y bore gan wybod fod yna amser i'w ladd, yna gweithio nes ei bod hi'n hwyr, tua deg o'r gloch y nos. I berson cyffredin mewn swydd, mae hynny'n cyfateb i hanner awr wedi pump. Mae cloc corff actor yn wahanol, 'dyw rhywun ddim yn mynd yn syth i'w wely o'i waith. Felly, ar ôl tynnu'r colur a rhoi'r wisg i gadw tan y perfformiad nesaf, dyna pryd mae min nos actorion yn dechrau. Fe fyddai criw ohonon ni, yn actorion a thechnegwyr, yn ei gor-wneud hi weithiau ac yn yfed i ormodiaeth. Dyna oedd bywyd.

Ond fe wnes i sylwi ei fod o'n mynnu un diod yn fwy na phawb arall. Ei hwyl o – a'i hawl o – oedd hynny. O glosio fwyfwy ato tra ar 'Teliffant', a ninnau'n cael diferyn mewn tafarn neu westy ar ôl perfformiad panto, doedd rhywun ddim yn sylwi ei fod o'n yfed llawer mwy na neb arall. Ond wrth wneud gwaith teledu roedd rhywun yn sylwi fod diod amser cinio'n bwysig iddo. A dyna pryd y gwnes i sylwi nad yfed cymdeithasol oedd hyn.

Rhaid cofio i ni weithio am ddeunaw mlynadd gyda'n gilydd, sy'n dalp o gyfnod. A phetai rhywun yn gofyn i mi a oeddwn i'n gwybod ei fod o'n alcoholig, fe fyswn i'n deud andros o gelwydd petawn i'n gwadu hynny.

Mae Wynff, ers tro bellach, wedi dod allan a deud yn gyhoeddus ei fod o'n alcoholig. Mae'r salwch yno o hyd, wrth gwrs, ond mae o'n ei ymladd o, a hynny o ddydd i ddydd. Mae hi'n frwydr ddyddiol ddi-dor. Ond a ydi rhywun, ar wahân i'r teulu agosaf, yn gweld y llanast mae'r salwch yn medru ei achosi i gylch agos o gyfeillion a chydweithwyr? Pan mae rhywun yn gofyn i mi sut ydw i'n gwybod cymaint am hyn, wel, ar wahân i weithio gydag o am ddeunaw mlynadd mae yna achosion eraill.

Dyna'i chi Eisteddfod Penybont ar Ogwr ym 1988, pan ofynnwyd i mi gan Theatr Powys gyfarwyddo 'Gwin Coch a Fodca', a sgrifennwyd gan Wynff. Yr hyn oedd y ddrama oedd hanes alcoholig yn dod o'r gwter ac yn mynd i ganolfan Rhoserchan ger Aberystwyth am driniaeth. Mae'n rhaid fod rhai pobol yn gofyn be' goblyn oedd Mici Plwm yn ei wybod am y pwnc? Rhai'n gofyn be wyddwn i am gyfarwyddo hefyd, mae'n siŵr. Dwi'n cofio gofyn i actor dwi'n ei gyfrif yn ffrind mawr, John Pierce Jones, a oedd o'n meddwl y gallwn i gyfarwyddo drama'n ymwneud ag alcoholiaeth. Ateb John ar ei ben oedd wrth gwrs y medrwn i. Roeddwn i wedi gwneud popeth arall o fewn y theatr, wedi bod yn rheolwr llwyfan, yn gyfrifol am oleuo a sain ac yn actor ar lwyfan. Yr unig beth nad oeddwn i wedi ei wneud oedd cyfarwyddo. Pwysleisiodd John fy mod i wedi bwrw fy mhrentisiaeth ac y dylwn i fynd amdani.

Er mwyn gwybod popeth fedrwn i am y pwnc fe wnes i ymchwilio i weithgareddau Alcoholics Anonymous. Meddyliwch am y sefyllfa. Alcoholig heddiw yn ysgrifennu drama am ei ymddygiad dros gyfnod o ddeng mlynadd ar hugain. Yn un peth, dydi alcohol ddim yn un o'r pethau gora i helpu'r cof. Mae rhai ohonom, yn dilyn noson fawr, yn methu cofio beth ddigwyddodd erbyn y bore wedyn. Ac, o gael ein hatgoffa, fe gawn ni achos i gywilyddio weithiau. Ond i rywun fyw mewn niwl o alcohol, cael ei biclo mewn alcohol, a mynd i sgwennu am ei brofiadau wedyn, sut goblyn mae o'n medru cofio? Tybed a oedd Wynff wedi argymell wrth Gwmni Theatr Powys mai un o'r rhai agosaf ato yn ystod ei alcoholiaeth oeddwn i, ac y dylwn i gyfarwyddo'r ddrama a dod â'r gwirionedd i'r fei?

Roeddwn i wedi deud wrth y cast, Medi a Siôr Llyfni ac Emyr Bell, pan oeddwn i'n cyfarwyddo, fod alcoholiaeth yn salwch dybryd ond iddyn nhw beidio â chymryd trueni dros y cymeriad. Meic oedd enw'r alcoholig yn y ddrama ac fe fyddwn i'n eu rhybuddio rhag cydymdeimlo â Meic. Mae alcoholig yn medru mynd dan groen rhywun. Mae o'n medru bod, yng nghanol ei salwch, yn rhywun annioddefol. Fe werthith alcoholig ei nain. Mae alcoholig yn twyllo. Dydi alcoholig ddim yn meddwl am neb arall ond amdano fo neu hi ei hun. Mae alcoholig yn medru bod yn sbeitlyd. Mae'r alcoholig ar waelod y gasgen, yn rhywun ach-y-fi. Dyna beth oeddwn i'n ceisio ei esbonio iddyn nhw.

Fe fyddwn i'n gweld, wrth ffilmio Syr Wynff a Plwmsan weithiau, tra'n torri am ginio, y byddai'r creadur yn gorfod mynd i gael ei ddiod bryd hynny. A methu'n glir â'i ddal o: mae alcoholig yn medru bod mor slei wnewch chi byth yn eich byw ei ddal o. Weithiau ro'n i'n meddwl fy mod i'n drysu wrth fethu'n lân â chanfod ble oedd o'n cael ei ddiod. Fe fydden ni'n mynd i dŷ tafarn wrth ochrau Caernarfon, un oedd yn boblogaidd iawn gyda'r cwmnïau ffilmio a oedd wedi tyfu fel madarch yn yr ardal. Y cwmni ffilmio fyddai'n talu am y bwyd. Weithiau fe fyddwn i'n codi ac esgus mynd i'r tŷ bach er mwyn cael gweld a fydda fo wrth y bar. Ond fyth yn gweld dim byd amheus. Eto'i gyd, o fynd yn ôl i ffilmio, fe fydda 'i gymeriad o wedi newid. Fe fydda fo'n ffiaidd neu'n wirion yn yr ystyr y medra fo fod yn beryglus, o ystyried rhai o'r stynts fydden ni'n eu ffilmio. Ond roeddwn i'n methu'n glir â dallt lle bydda fo'n cael ei ddiod.

Wedyn y gwnes i ddallt. Roedd ganddo fo ryw signal ar gyfer perchennog y lle, a hwnnw'n ddigon barus i roi mesur neu ddau iddo mewn sudd ffrwythau. Erbyn y prynhawn, fe fyddai hwyl y bore wedi diflannu.

Un tro penderfynais, gan fod y sefyllfa'n achosi straen, ddeud wrth Graham Edgar na fedrwn i ddioddef hyn mwy. Roedd yn gwneud i mi deimlo'n sâl, yn effeithio ar fy iechyd i. Fe rybuddiais i Graham, petai'r un peth yn digwydd eto, y byddwn i'n pwyso am ddechrau ffilmio am chwech o'r gloch y bore a gorffen amser cinio fel y gallai pawb fynd eu ffordd eu hunain wedyn. Fedrwn i ddim parhau i weithio'n hapus am hanner diwrnod, dim ond i bethau fynd o chwith bob prynhawn. Roeddwn i'n barod i roi'r gora i actio Plwmsan, yn barod i gerdded i ffwrdd o'r set. Yn wir, fe wnes i gerdded oddi ar y set fwy nag unwaith, dim ond iddo fo ddod ar fy ôl a gofyn i mi ddod yn ôl. Fe fyddwn i'n esbonio wrtho na fedrwn i ddim gweithio hefo fo o dan y fath amgylchiadau. Ond yn ôl yr awn i.

O weithio yn y stiwdio wedyn, bobol bach, y newid yno. Fe fydda fo'n cuddio potel yn rhywle. Ac fe wnawn i ffeindio'r botel wag yn aml yn fy mag i. Mae o'n swnio'n beth ofnadwy i'w wneud ond dydi rhywun sy'n dioddef o'r salwch ddim yn ystyried hynny.

Pan agorodd 'Gwin Coch a Fodca' yn Llanelwedd, rwy'n cofio iddo alw. Roeddwn i wedi torri tameidiau o'r sgript a newid ambell beth. A'r frawddeg ddeudodd o wrtha i oedd, 'Diolch i ti am fy achub i rhag fy hun'.

Roedd diwedd y sgript wreiddiol yn gofyn am i Meic sefyll mewn siwt wen ar ganol y llwyfan, gyda miwsig o'r Meseia yn chwara ac yntau yn edrych ar y dorf â'i ddwylo ar led. Yna'r gerddoriaeth o'r Meseia yn tawelu ac 'Un Dydd ar y Tro', Trebor Edwards yn cymryd ei le. Petawn i wedi cadw at y cyfarwyddiadau hynny fe fyddai pobol naill ai'n meddwl mod i'n gwneud hynny fel jôc neu fy mod i'r cyfarwyddwr mwyaf diawledig dan haul. Fe newidiais y diwedd a chael Meic yn dod i flaen y llwyfan yn ostyngedig, edrych ar y dorf a dechrau adrodd gweddi sobrwydd, a methu parhau. Wedyn cael ei wraig i ddod allan a gosod ei llaw ar ei ysgwydd heb ddeud dim. I mi, y wraig oedd arwres y ddrama am iddi aros gydag o drwy'r cyfan. Gorffennais y ddrama gyda Meic yn cwblhau'r weddi a'r golau'n pylu.

I mi, does dim gwellhad i alcoholig. Rhyw egwyl o wellhad mae o'n ei gael wrth newid ei ffordd. Gorfod addasu ei ffordd o fyw i ddygymod â'r peth. Pan oeddwn i'n gwneud fy ymchwil ar gyfer cyfarwyddo'r ddrama, fe glywais i rywun yn deud *Alcoholism – you can take the alcohol away but you leave the ism*. A beth ydi'r ism? *'I, self, me'*. Ydi, mae hwnnw'n dal yno. Fi! Fi! Fi!

101

Dwi'n adnabod rhai alcoholics sydd y bobol neisia yn y byd. Ac mae'r Wynff newydd, os mai dyna wnawn ni ei alw fo, yn berson hynaws iawn. Dyma'r Wynff go iawn. Mae rhai yn deud fod alcoholiaeth yn y genynnau. Dydw'i ddim yn siŵr ydw i'n cytuno â hynny. Dydw i ddim digon dysgedig i wybod hynny. Ond, roeddwn i'n gaeth i alcoholig, fe wn i hynny.

Roeddwn i'n mwynhau gweithio gyda Wynff yn fawr iawn ac yn ddigon parod, ac yn ddigon gwirion, yn ddigon dewr, yn ddigon ffyddlon, yn ddigon triw – wn i ddim pa un yw'r gair iawn – i aros gydag o.

Dydi o ddim yn gwybod hyn, ond ar lawer noson ar ôl diwrnod caled o waith, yn gorfod cario'r straen o ofidio a fydda fo'n sobor ai peidio, fe fyddwn i'n cael fy hun yn gorfod deud celwydd wrtho fy mod i'n aros gyda ffrind rhag gorfod aros yn yr un gwesty ag o. Roedd yn rhaid i mi gael cyfnodau hebddo er mwyn fy iechyd fy hun. Mewn sioeau byw, yn arbennig, fe fyddwn i'n gorfod ei guddio fo – neu guddio'i gyflwr o – rhag y gynulleidfa. Fe fyddwn i yn aml, o gael cyfle i fod ar fy mhen fy hun, yn torri i lawr a beichio crio.

Rwy'n cofio unwaith gwneud sioe lwyfan yn Felinfach, a'r chwara'n troi o gwmpas cath tseina oedd yn antîc drudfawr. Y gath ar ganol y llwyfan a ninnau'n chwara o gwmpas gan ddod yn agos droeon at ei malu. Ar y diwedd, wrth gwrs, roedd hynny'n digwydd. Ond a ninnau o flaen cynulleidfa fyw, ac o wybod ei fod o wedi bod yn y dafarn, yr ofn gen i oedd y byddai Wynff yn malu'r gath o fewn pum munud ac yn difetha'r sioe yn llwyr. Wedi'r cyfan, petai'r gath yn cael ei malu mor gynnar, beth oeddan ni i'w wneud wedyn? Drwy ryw ryfedd wyrth, chafodd y gath ddim o'i malu cyn pryd. Ond rwy'n cofio mynd yn ôl i'r llety, yn chwydu fy stumog i fyny a beichio crio.

Fe ychwanegodd o flynyddoedd at fy oedran. Dwi'n amau i 'ngwallt i ddechrau gwynnu o flaen ei wallt o. Roeddwn i'n ceisio cuddio cyflwr Wynff rhag y bobol oedd agosaf atom ni, y cyfarwyddwyr, y technegwyr ac ati. Hwyrach nad oeddan nhw'n sylwi ond, o weithio mor agos ato, fe wyddwn i ar unwaith pan oedd o mewn cyflwr gwael. O gydweithio mor hir ac mor agos roedd dallt ei gyflwr o yn ail natur i mi. Roedd o fel cerdded ar y weiren dyn mewn syrcas. Roedd y ffin rhwng llwyddiant a methiant mor denau. Mor agos y daethon ni at ddifetha'r cyfan ac mae Wynff yn barod i gyfaddef iddo fod yn gor-yfed yn y cyfnod hwnnw. Mi fedra innau gyfaddef i mi ddod yn agos iawn at dorri i lawr yn llwyr.

Hyd yn oed wrth gasglu enwau ar gyfer deiseb i achub y gyfres, roeddwn i'n teimlo weithiau fel deud, 'Dewch ag o i ben, er mwyn popeth'. Ond na, roeddan ni'n driw i'r ddau gymeriad. Ac fe wnawn i gadw rhan Wynff unrhyw amser.

Rhan o therapi adferiad alcoholig yw ymddiheuro i bwy bynnag mae nhw wedi eu brifo. Gwneud iawn drwy ymddiheuro. Ond wnaeth o erioed ddeud 'sori' wrtha i. Rwy'n siŵr ei fod o'n ymwybodol, ond wnaeth o erioed ymddiheuro. Rwy'n cofnodi'r geiriau hyn gryn bymtheng mlynadd ar ôl i ni weithio gyda'n gilydd ddiwethaf. Siawns ei fod o'n dallt sut wnaeth o fy mrifo i. Oedd, roedd o'n ddyn sâl. Ond roedd y salwch bron iawn arna' innau hefyd gan fy mod i'n gorfod byw hefo fo bob munud o'r dydd nes bydda fo'n mynd adra.

Eto rydyn ni'n dal yn ffrindiau mawr. Ond mae yna bellter enfawr rhyngom ni gan ein bod ni'n ddau mor wahanol. Er i ni fod am gyfnod hir mor agos ac efeilliaid Siamese.

Ar Grwydr

Ym 1965 y cydiodd y chwilen grwydrol ynof fi. Taith ganŵ yr Urdd oedd hi, ar yr afon Nuguera Palarosa yng Ngogledd Sbaen, i fyny yn y mynyddoedd. Elwyn Hughes oedd y pennaeth yng Nglanllyn ar y pryd. Ac roedd o wedi bod yn trefnu teithiau cyn hynny, yn yr Ardèche yn Ffrainc y flwyddyn cynt, er enghraifft. Ond y daith ym 1965 oedd y tro cynta erioed i mi fynd dramor, a minnau'n un ar hugain oed. Croesi ar y fferi am y tro cynta.

Fe wnes i ddarganfod yr Urdd yn hwyr yn fy mywyd, yn tynnu at fy ugain oed, mae'n rhaid, ac i Elfed Roberts mae'r diolch. Ef oedd yn rhedeg yr Aelwyd ym Mhenrhyndeudraeth, ac roedd o'n sbort garw, digon o hwyl hefo fo. Bob penwythnos rydd fe fyddwn i'n mynd i Lanllyn. Fues i erioed yn wersyllwr, fe ges i fy ngwneud yn Swog o'r cychwyn. Fe fyddwn i hefyd yn mynd i lawr i Langrannog ac yn mwynhau fy hun yn fawr iawn.

Mae'n rhaid gen i fod nawdeg y cant neu fwy o'r ffrindiau sydd gen i, y cydnabod a'r cyfoedion, wedi eu gwneud drwy'r Urdd: Gareth Owen, Wa, John Meics – ac yn arbennig Dilwyn 'Porc' Morgan – a llawer mwy. Pan fydda i wrthi heddiw yn gwneud gwaith ymchwil ar gyfer rhaglen deledu neu radio – neu unrhyw gynhyrchiad – fe fydda i'n cofio fy mod i'n nabod rhywun fu'n cyd-wersylla â mi yng Nglanllyn neu

Langrannog. Ac, wrth gwrs, dwi wedi cadw'r cysyllti-adau. Does dim amheuaeth nad oes yna lawer o bobol eraill a fedr ddeud yr un peth.

Fe ges i'r fraint o fod yn Llywydd pan ddaeth Eisteddfod yr Urdd i Ddolgellau, sef Eisteddfod Sir Feirionnydd, gan wneud anerchiad o'r llwyfan. Yn fy anerchiad fe ddywedais mai hwnnw oedd yr anrhydedd mwyaf a gefais i erioed. Diolchais i'r mudiad am yr holl ffrindiau wnes i (a'r rheiny yn ffrindiau go iawn), am roi'r cyfle i mi hwylio ar draws Môr Iwerydd, ac am fisoedd – o roi'r amserau at ei gilydd – o hwyl iach. Un peth na roddodd yr Urdd i mi, yn wahanol i lawer o aelodau eraill, oedd gwraig.

Rwy'n cofio un digwyddiad na wna'i fyth ei anghofio tra bydda i. Cael galwad ffôn o Aberystwyth yn gofyn a fyddwn i'n rhydd i fynd i lawr i Langrannog. Huw Roberts Bermo, sy'n gweithio i'r Parc Cenedlaethol heddiw fel Swyddog Addysg, yn teithio gyda mi ar y trên mor bell ag Aberystwyth; dyna'r tro cynta i ni gwrdd â'n gilydd. Fi yn teithio o Benrhyndeudraeth a Huw yn ymuno â mi yn Y Bermo. Taith mewn car wedyn ymlaen i Langrannog. Roeddem wedi'n galw i lawr yn dilyn trychineb Aberfan i helpu drwy roi llety dros dro i blant a rhieni a effeithiwyd gan y drychineb erchyll honno. Fe fuon ni yno am bron i bythefnos yn gwneud ein gora i greu hapusrwydd ymhlith y tristwch affwysol, trwy wisgo'r plant mewn masgiau clown a phethau tebyg. Roedd hi'n amhosibl cuddio'r dagrau.

Ond i fynd yn ôl at y daith gynta honno. Mynd am Lanllyn hefo'r bag cefn ac edrych ymlaen yn fawr at yr antur. Mi fedra'i weld yn awr y Land Rover a'r trêlyr yn cario'r canŵs yn cyrraedd. Nid y rhai modern gwydr ffibr ond rhai wedi eu gwneud o gynfas. Iawn ar gyfer Llyn Tegid, ond roedd y rhain yn cychwyn ar antur enbyd iawn. Mi fedra i weld o hyd wynebau'r rhai oedd yn disgwyl yn y gwersyll, rhai y deuwn i'w hadnabod yn dda ar y daith. Bili Jones o Benrhyndeudraeth, Gareth Mort, Paul Griffiths, a gâi ei adnabod fel y Tymbl Ted yn gwisgo gwaelod tracwisg a siaced leder a chrys rygbi'r Tymbl. Ieus Griffiths wedyn. Rown i'n ei adnabod o fel un o dri brawd o Abersoch oedd yn chwara pêl-droed dros y Port ac wedi ennill cap amatur dros Gymru. Roedd o yn arwr mawr gen i eisoes. Ond yr un dwi'n ei gofio fwyaf yw hwnnw oedd yn sefyll ym mhen draw'r stafell ac yn gweiddi mewn llais mawr, cras, 'Hei! Shwmai, bawb! Ry'n ni'n mynd i Sbaen!' Oedd, roedd Huw Ceredig yno. Roedd o'n ddyn sengl bryd hynny ac roedd ei ddarpar wraig, Margaret Grey, hefyd yn mynd ar y daith. Criw gwych.

Fe groeson ni ar y fferi o Dover i Calais. Mae gen i ryw gof fod tua deg ar hugain ohonon ni yno, a phawb ond Gareth Mort a minnau yn sâl môr. Mi aeth pawb arall yn sâl yn union fel oeddan nhw'n codi eu cyllyll a ffyrc i fwyta rhyw damaid o gig eidion ond cafodd Gareth a minnau fwyta ein gwala a'n gweddill o ginio.

Fe ges i'r cyfle i fynd i Mont Sant Michel am y tro cynta a cherdded yno ar hyd y sarn tra roedd y llanw allan, ac i'r eglwys gadeiriol sydd yno. Ym mhentref Sort yr oedd y daith yn cychwyn. Cysgu mewn pebyll a chreu rhyw fath o rota ar gyfer coginio.

Rwy'n cofio fod Marian Rees yno hefyd, a hi oedd y gynta erioed i mi weld yn gwisgo trowsus croen llewpard.

107

Ond dyma gyrraedd y man cychwyn yn uchel yn y Pyrenees gyda'n canŵs a gwersylla ar lan yr afon. Roedd y tywydd wedi brafio ac rwy'n cofio Huw Ceredig yn gorwedd ar hen darpowlin a chriw o blant wedi hel o'i gwmpas. Roedd y plant wedi gweld rhywbeth ac yn gweiddi gan ddeffro Huw, a agorodd ei lygaid fel rhyw hen lew blin yn cael ei ddeffro o drwmgwsg. Cri'r plant oedd rhywbeth tebyg i *Non perigla! Non perigla!* Beth oedd yno ond neidr wedi troelli ei hun ac yn syllu i fyw llygaid Huw. Welais i erioed mohono'n symud yn gyflymach. Y plant wedyn yn cydio yn y neidr a'i thaflu ar ei ôl.

Fe ddaeth y bore a'r amser i ni gychwyn. Roedd yr afon yn llifo yr holl ffordd o'r mynyddoedd i Barcelona, afon lydan ond, mae'n rhaid, afon beryglus gan fod yno, yma ac acw, gofebion ar lechi i ganŵ-wyr a gollodd eu bywydau. Doeddan ni ddim yn ddibrofiad na'r Urdd yn anghyfrifol: roeddem wedi derbyn hyfforddiant trwyadl ar Lyn Tegid gan yr hyfforddwr Olympaidd, Oliver Kock.

Dyma wthio'r canŵs i'r dŵr, a'r pentrefwyr i gyd wedi hel o'n cwmpas gyda'u miri a'u dymuniadau da. Erbyn hyn roeddan ni wedi gwneud ffrindiau â nhw, a Huw Ceredig wedi gwneud ffrindiau â'r Maer ac wedi cael caniatâd ganddo i bysgota yno. Yna'n sydyn dyma sylweddoli nad oedd ganddo fo enwair. 'Nôl ag o i gnocio ar ddrws cartra'r Maer a gofyn a gâi o fenthyg ei enwair o. Ac mi gafodd.

Ynghanol y criw roedd y Tad Pabyddol yn ei lifrai yn gweddïo ac yn ein bendithio. Minnau'n ofni ei fod o'n rhoi'r *last rites* i ni. Yna, yn sydyn, dyma Ieus neu Huw

Ceredig yn edrych i fyny'r mynydd tuag at darddiad yr afon. Roedd y ddau i fod i rwyfo canŵ dwbwl, y *Queen Mary*. Yr hyn oedd i'w weld oedd ton enfawr o ewyn a dŵr gwyn yn hyrddio i lawr yr afon. Wyddem ni ddim ond roedd yr afon hon yn cael ei defnyddio ar gyfer troi twrbein cynhyrchu trydan ac, yn achlysurol, fe gâi'r llifddorau eu hagor i ganiatáu i'r dŵr lifo i lawr. Roedd pawb erbyn hyn yn eu canŵs a dim modd dianc. Dyma geisio rhwyfo o flaen y don enfawr yma a oedd tua deg troedfedd o uchder. Cyrraedd wnaeth hi a golchi pawb o'i blaen. Mi fedra i weld Huw a Ieus rŵan yn ceisio padlo'u ffordd drwyddo, ond fe dorrwyd eu canŵ yn ei hanner. Fe aeth y don â'r darn oedd Huw ynddo, yn ogystal â Huw, o dan y dŵr. Toc fe ddaeth i'r wyneb fel rhyw fwi mawr a'r peth cynta ddeudodd o oedd: 'Rwy' wedi colli'n fflip-fflop'.

Fe falwyd pob canŵ ac fe lwythwyd y darnau ar y trêlyr er mwyn eu cludo 'nôl i Gymru ar gyfer hawlio yswiriant. Y canlyniad oedd fod taith ganŵ o bythefnos a hanner yn ein hwynebu, ond heb un canŵ gwerth chweil ar ein cyfyl. Yr hyn wnaethon ni oedd teithio o bentra i bentra gan godi gwersyll a dod i adnabod pobl yn well. Fe deithion ni o bentra Sort, i lawr y Pyrenees yr holl ffordd i'r môr yn Barcelona. Dyna'r unig dro i mi weld yr erchyllbeth hwnnw o ymladd teirw. I mewn â ni i'r talwrn crwn i weld yr ymladd a'r Sbaenwyr yn edrych yn hurt arnon ni, yn enwedig ar Tymbl Ted, gan mai ni, a hwnnw yn arbennig, oedd yr unig rai oedd yn cefnogi'r tarw. Pan gâi'r tarw ei gorn i ben-ôl y matador, fe fydden ni'n bloeddio ein cymeradwyaeth.

Beth bynnag, dyna'r daith gynta dramor, y daith a

gychwynnodd y cyfan. O hynny ymlaen roedd teithio yn y gwaed. O edrych yn ôl, roedd y bwriad yno pan oeddwn i'n blentyn ym Mryn Llywelyn. Fe fyddwn i'n gaddo i mi fy hun yn y cartra y byddwn i, rhyw ddiwrnod, yn ei gwneud hi'n bosib i godi fy mhac a mynd, yn lle eistedd yno. Erbyn hyn fe fyddai rhai yn deud fy mod i'n teithio i ormodedd. Ond na, does yna ddim gormodedd o deithio.

Erbyn hyn rydw i wedi gweld gwahanol rannau o'r byd drwy anturio. Taith fer oedd un ohonyn nhw, taith i Iwerddon gyda thîm dartiau BBC Cymru. Ac i ddangos tîm dartiau mor chwerthinllyd o wirion ac anobeithiol oedd o, does ond angan deud mai Rhydderch Jones oedd y capten. Yr unig beth oedd o wedi'i daflu yn ei fywyd oedd papur taffi. Dave Burns o'r Hennessys oedd y trefnydd, a rhyw esgus i fynd i ddinas Corc oedd y trip. Ond fe'i hystyrid fel gêm ryngwladol rhwng Cymru ac Iwerddon. Maes y gad oedd tafarn Billy Whitnall ac aelodau eraill y tîm oedd Brydan Griffiths, rheolwr llawr; Dave Evans, cynhyrchydd; John Pierce Jones a minnau. Colli wnaethon ni, ond doedd hynny ddim yn bwysig.

Ar y penwythnos arbennig hwnnw roedd y Pab wedi dod i Iwerddon, i Phoenix Park yn Nulyn. Dyma lanio yn harbwr Corc a, thra'n sefyll wrth gornel stryd, agorodd drws tafarn a gofynnodd rhywun be gebyst oeddan ni'n ei wneud yno. Roedd y bar yn llawn o bobol yn gwylio dyfodiad y Pab.

Ar ôl cyrraedd adra, gofynnodd John Pierce Jones a oedd gen i awydd mynd i'r haul. Fel actorion bryd hynny, roeddan ni'n gorffwyso llawer iawn. Hynny yw, roeddan ni allan o waith. Ac roedd yna ddigon o amser i deithio. Ble i fynd oedd y cwestiwn. Dywedodd John fod India'n lle poeth. Beth am fynd i India? A dyma chwilio am gyfeiriadau siopau oedd yn gwerthu tocynnau rhad ar gyfer teithiau yn un o'r papurau Sul. Cawsom ddau docyn i hedfan o Heath Row am Delhi. Roedd John wedi fy rhybuddio rhag blaen fod hedfan gydag Air India yn medru bod yn brofiad enbyd. Roedd ganddyn nhw'r math o awyrennau oedd yn dueddol o lanio yn Delhi a Bombay ar yr un pryd! Doedd gan John ddim gair da am unrhyw gwmni awyren, fe fyddai'n disgrifio BOAC fel *Better On A Camel* a TWA fel *Try Walking Across*. Ond mynd wnaethon ni heb orfod eistedd ar yr adenydd.

Mae John, fel finna, yn casáu bod yn dwrist. Mae trigolion unrhyw wlad yn gweld y twristiaid yn dod o bell. Dyma benderfynu chwilio am ddillad brodorol a buom yn cerdded i lawr y strydoedd yn Delhi yn chwilio am deiliwr fyddai'n fodlon ein mesur a gwneud siwt mewn awr. Nid siwt fel adra, siwt arferol, ond siwt frodorol gyda throwsus llac a chortyn am ei ganol fel trowsus pajamas, trowsus y byddwn i'n ei ddisgrifio fel *dysentry pants*, gyda digon o le ynddo i wneud unrhyw beth am wythnosau heb fod neb yn gwybod gwell. Y top wedyn a hetiau bach am ein pennau. Prynodd John siwt fawr wen a minnau un lwyd. Roedd hi'n hwyl garw cerdded o gwmpas ynddyn nhw.

Wedi i ni gael y siwtiau fe fyddai'r bobol leol, er yn gwybod nad oeddan ni'n frodorion, yn gwenu wrth weld dyn mawr, tal a dyn bach, pwt yn gwisgo dillad brodorol. Ond roeddan nhw'n llawer mwy cysurus i'w gwisgo na dillad adra.

Roeddan ni'n aros yn y Sheraton y noson gynta ac yn edrych allan drwy'r ffenest a gweld y tlodi ofnadwy, pobol yn byw mewn bocsys carbord tra roeddan ni mewn stafell foethus. Roedd yn rhaid cael cyri, wrth gwrs. Ond dydi cyri India ddim yr un fath â cyri adra. Mae o'n cael ei wneud yn fwriadol boeth yma, am fod pobol y Gorllewin yn tueddu i feddwl mai felly mae cyri i fod. Yn India mae o'n cael ei wneud o sbeisus ac olew go iawn, nid o bowdwr. Dyma eistedd wrth y bwrdd yn ein dillad Indiaidd ac archebu, a John yn canmol a deud mor dda oedd hi arnon ni wedi bwyta llond bol o gyri heb unrhyw effaith ddrwg, fel *Bombay Bum* neu *Abdul's Revenge*. O leiaf, fydden ni ddim yn deffro trannoeth gyda'n penolau fel fflag Japan. Ac, wrth sbïo ar Saeson ac ati ar y byrddau eraill, roedd John a minnau'n cael hwyl bach tawel am eu pennau. Roeddan ni'n ei dallt hi, wrth gwrs, yn bwyta rhyw jelis a *chapatis* a *poppadoms*, pob mathau o gyris poethion ac yn laddar o chwys yn mwynhau.

Ond wn i ddim a yw pobol wedi sylwi pan mae rhywun yn dechrau teimlo'n sâl. Mae rhyw wynder yn dod o amgylch y geg. Rhyw gylch gwyn fel colur clown. Toc dyma John yn stopio siarad. Roedd o'n mynd yn wyn o gwmpas ei geg. Dyma fo'n edrych arna i gyda rhyw ddychryn mawr yn ei lygaid a deud: 'Mae'n rhaid i mi fynd'. Ac mi gododd yn ei ddillad Indiaidd a gwneud rhyw gylch bach ar ei echel a deud dros ei ysgwydd eto fod yn rhaid iddo fynd. Roedd o'n cerdded yn union fel petai'n dal pisyn tair gwyn rhwng bochau'i ben-ôl. Petai unrhyw un wedi digwydd cyffwrdd â'i gefn a gofyn a oedd o'n iawn fe fyddai yno lanast. Fe gyrhaeddodd ddrws y tŷ bach a throi a deud: 'Os oes yna unrhyw un yn

eistedd i mewn yma, yna fe fydd yn rhaid i mi eistedd ar
ei lin o.' Fe ddaeth yn ei ôl toc a dechrau ail-fwyta. Ond
fe fu'n agos iawn at lanast.

Tra yn India dyma benderfynu mynd i weld
diffeithwch Rajasthan a chael rhywun i'n gyrru ni o
Delhi i lawr i Jaipur ac wedyn o Jaipur i Agra. Roedd cist
y car yn llawn o ddiodydd oer a'r car ei hun yn cynnwys
system awyru. Wrth groesi'r anialwch roedd y gwres yn
gant neu fwy, felly petaen ni'n agor ffenest fe fydden ni'n
laddar o chwys. Tra ar y daith fe welson ni rywun yn
mynd gyda chert a mul, yn amlwg wedi bod â llwyth o
rywbeth i rywle. Roedd hi'n amlwg fod yr hen ful yn
gwybod ei ffordd gan fod ei berchennog yn cysgu'n braf
yn y cert. Ond fe chwaraeodd ein gyrrwr ni dric arno
drwy neidio allan a throi pen y mul yn ara deg fel ei fod
o'n wynebu am yn ôl. Dim ond dychmygu fedren ni beth
fyddai adwaith y perchennog pan ddihunai. Rwy'n siŵr
y byddai yno ddiawlio.

Peth arall y sylwon ni arno oedd yr holl loris yn teithio
rhwng Delhi a Bombay, y gyrwyr yn cael eu talu wrth yr
awr, mae'n debyg, a heb amser i stopio. Felly fe fydden
nhw'n gwneud popeth oedd angan ei wneud mewn
bwced yn y cab. Weithiau byddai rhywun o'r lori yn
gwagio'r bwced dros ryw druan wrth ymyl y ffordd.

Wedyn dyma benderfynu mynd i Kashmir, sef y
Kashmir Indiaidd, o gofio fod yna Kashmir Pacistanaidd
hefyd. Hedfan o Delhi mewn awyren a oedd mor hen ag
Arch Noa; John a minnau oedd yr unig deithwyr arni o'r
Gorllewin. Fe wydden ni y cymerai awr a hanner i
gyrraedd Srinagar. Fi oedd yn eistedd agosaf at y ffenest
ac, wrth i ni ddisgyn yn araf, gofynnai John beth oedd

i'w weld. Welwn i ddim am hydoedd, dim ond cymylau ond dyma sylweddoli nad cymylau oeddan nhw ond niwl o'r mynyddoedd. Yn sydyn roedd trwyn yr awyren yn anelu at ochr un o'r mynyddoedd cyn codi ei thrwyn i fyny a ninnau bron iawn yn cribo to'r tai. Roedd pawb yn gweiddi neu'n gweddïo gan feddwl bod y diwedd yn dod. Ond fe lwyddon ni i lanio'n ddiogel yn y diwedd.

Yn Srinagar fe arhoson ni mewn hen gwch pren ar y llyn. Yn ddiweddar fe welais i lun un tebyg wedi'i dynnu gan y ffotograffydd, Ron Davies. Rydw i bron yn siŵr i Ron dynnu llun yr union gwch y buon ni'n aros arno. Hwn oedd y lle prydferthaf welais i yn y byd erioed, adar lliwgar ym mhob man. Roedd Gleisiaid y Dorlan mor aml ac adar to yno, y llyn yn llonydd braf a'r pysgod yn neidio. Ar y cwch roedd ganddon ni was bach o'r enw Ramon yn gwneud bwyd brodorol i ni. Roedd modd mynd mewn cwch bach i lawr yr afon i'r dref agosaf i siopa ac fe wnes i brynu cerflun pren o'r Bwda ac fe brynodd John garped. Fe wnaethon ni eu gyrru nhw adra o'n blaen ond, am ryw reswm fe aeth carped John i Fanc Barclays yn Llanishen yn hytrach nac i'w gartra.

Dwi'n meddwl mai John a minnau oedd yr olaf o'r Gorllewin i fedru gadael Srinagar cyn i helyntion mawr dorri allan yn Kashmir. Yn wir, wrth i ni fynd i'r maes awyr roedd yr helyntion wedi cychwyn. Roedd cyrff i'w gweld yn gorwedd yma ac acw ac roedd y sefyllfa ddiogelwch yn llym iawn. Ond fe lwyddon ni i hedfan yn ôl i Delhi ac o Delhi i'r Almaen, a hynny ar yr union awyren a aeth i lawr wythnos yn ddiweddarach yn Lockerbie.

Rydw i wedi teithio llawer gyda John erioed. Un

ohonynt oedd taith fythgofiadwy a drefnwyd gan Rhydderch Jones. Roedd gan Rhydderch awydd mynd i Groeg a dyma fynd yng nghar John. Gyda ni roedd Ems, neu Emyr Huws Jones. Wrth groesi pob ffin fe fyddai'r swyddogion yn archwilio'n pasports ni ac yn gofyn a oeddan ni'n frodyr gan mai Jonesiaid oeddan ni'n pedwar.

Wrth yrru am Wlad Groeg, codi pabell ym mhob man oedd y syniad wrth i ni fynd drwy'r Almaen ac ymlaen. Roedd Rhydderch yn cydnabod ei fod o'n chwyrnwr, felly fe fyddai o'n cysgu yn y car a'r tri arall ohonom yn y babell. Doedd gan John ddim ofn y byddai rhywun yn dwyn ei gar yn y nos gan y byddai unrhyw ddarpar-leidr yn meddwl fod yna rhyw fwystfil mawr yn cysgu ynddo.

Yn yr un modd doedd mosgitos ddim yn poeni Rhydderch o gwbwl ond fe gâi'r tri arall ohonom ein bwyta'n fyw gan y giwed. Wnaen nhw ddim cyffwrdd â Rhydd am ryw reswm rhyfedd.

Fe fyddai Rhydd wrth ei fodd yn canu ac un noson, ym Macedonia, dyna lle'r oedd o yn canu tra'n piso i'r afon. Roedd o'n canu cerdd fawr Cynan, 'Anfon y Nico'. Wrth ganu am 'yr hen Strwma'n odiath' doedd o ddim yn sylweddoli ei fod o'n piso i'r union afon roedd Cynan yn canu amdani.

Mynd i'r Placa wedyn, yn Athen, a Rhydd yn morio 'Rhosyn Gwyn Athen', un o'i hoff ganeuon. Fe'i canwyd yn ei angladd gan Margaret Williams. Wedi'r angladd roedd criw ohonom yn oedi o gwmpas y fynwent yn teimlo'n ddiflas iawn wrth gofio amdano fo. Yna dyma Dave Burns yn codi'n calonnau,

'Roedd o wedi addo y cawn i chwara'r mandolin fel

cyfeiliant i'r gân yn ei angladd,' medda fo. 'Rhaid fod y diawl wedi anghofio.' Ac aeth pawb i chwerthin. Ac, wrth i ni gofio'r dyddiau da, roedd chwerthin yn rhywbeth cwbl naturiol yn angladd Rhydd.

Antur Enbyd

Os mai dim ond *Special Arithmetic* sydd gen i mewn unrhyw fath o arholiad ysgol, fe fyswn i'n deud fod gen i ddoethuriaeth mewn codi pac ar amrant a theithio'r byd. Mae'r rhan fwyaf o deithiau rydw i wedi ymgymryd â nhw wedi digwydd heb baratoi am fisoedd ymlaen llaw, dim ond rhyw benderfynu un bore a mynd y diwrnod hwnnw.

Ond, unwaith eto, yr Urdd fu'n gyfrifol am yr antur fwyaf cofiadwy – a'r fwyaf enbyd hefyd mewn rhai ffyrdd – antur na chaf fi byth mo'i thebyg eto oni bai fy mod i'n digwydd cael pas i fynd i fyny i'r lleuad mewn roced. Sôn yr ydw i am y cyfle ddaeth i hwylio'r Atlantig. Ac nid llawer iawn sy'n medru codi eu pennau a deud iddyn nhw wneud y ffasiwn beth. Ond mi ydw i, diolch i'r drefn – ac i'r Urdd – yn un o'r ychydig sy'n medru deud hynny.

Roedd Dafydd Owen, mab Dr Wil Owen, Llanbedrog yn swyddog gyda'r Urdd ac mi gafodd syniad go unigryw. Cael llechfaen – nid o Stiniog, fel y byswn i wedi'i hoffi – ond tamaid o lechen a gloddiwyd o chwaral yng Nghorris ac wedi'i gerfio ar y llechfaen roedd Neges Ewyllys Da ar ran ieuenctid Cymru. Y bwriad oedd mynd â'r plac drosodd i adeilad y Cenhedloedd Unedig yn Efrog Newydd.

Mae'n arferiad gan yr Urdd i ddarlledu Neges Ewyllys

Da yn flynyddol ond roedd hwn yn wahanol, yn fwy uchelgeisiol. Doedd mynd â'r neges mewn awyren, fel y buasai unrhyw un arall yn ei wneud, ddim yn ddigon. O, na. Cydweithio hefo yr Ocean Youth Club oedd y syniad, mudiad unigryw iawn. Roedd hi'n freuddwyd gan y diweddar Aled Eames, ac yn freuddwyd gan nifer ohonom, i sefydlu rhywbeth tebyg yng Nghymru. Dyna'i chi'r Jubilee Sailing Trust wedyn, sy'n galluogi pobol efo nam corfforol i fynd i hwylio. Syniad gwych.

Ar gyfer cludo'r llechfaen drosodd fe gydweithiwyd â'r Ocean Youth Club a defnyddio'r *ketch* trigain troedfedd y *Sir Thomas Sopwith* a'i hwylio drosodd. Trefnwyd y fordaith yn nifer o gymalau, hwylio o Southampton i'r Azores, wedyn ymlaen i Bermuda, yna i Efrog Newydd ac oddi yno i Boston. Ac mae gen i gof hefyd o Bryn Fôn yn mynd, yn sgil ei ddyletswydd fel un o gyflwynwyr y gyfres Sêr, i hwylio ar un o'r cymalau, y cymal cynta, dwi'n meddwl.

Criw o ddeuddeg oedd ar y llong, gyda nifer mwy ar ambell gymal. Cefais neges gan Dafydd Owen yn gofyn a fyddai gen i ddiddordeb mewn hwylio'r llong yn ôl i Gymru. Doedd dim rhaid gofyn ddwywaith. Roedd y peth fel darllen straeon antur pan o'n i'n blentyn ym Mryn Llywelyn.

Roedd gofyn i mi hedfan allan. Hwn fyddai'r tro cynta i mi hedfan erioed ac roedd yn fy mhoeni. A dyma'r hen ystrydeb honno'n dod i'r meddwl – tawn i'n mynd i drafferthion ar y môr fe fedrwn i, o leiaf, nofio rhyw ychydig. Petai rhywbeth yn mynd o'i le yn yr awyr, fedrwn i ddim hedfan. Ond fe fu'n rhaid goresgyn yr ofnau a gofyn i Dafydd Owen a gawn i eistedd nesaf at un o'r ffenestri.

Wn i ddim faint o help fyddai hynny ond, byth ers hynny pan fydda i'n hedfan, fe fyddai'n gofyn am sedd ffenest.

Fe wnes i drefniadau ar yr awyren gyda'r gweinyddesau i gael mynd ar ddec hedfan yr awyren yn y gobaith y byddai hynny'n help i dawelu'r ofnau. Cofiais am stori am y diweddar Derek Boote, a fu'n gweithio gyda Ryan a Ronnie a llawer o sêr eraill. Roedd o hefyd yn ofni hedfan ac fe ofynnodd o hefyd, unwaith, am gael ymweld â'r dec hedfan. Pan gyrhaeddodd yno roedd y dirprwy beilot yn eistedd yn darllen papur newydd tra'r peilot yn ceisio cwblhau croesair. Bu bron iddo lewygu. Fe ges i gyfle i siarad â'r peilot, a hwnnw'n hwrjo'i gwmni awyrennau ei hun, sef British Airways. Gofynnodd a fyddwn i'n hedfan yn ôl gyda nhw. Finna'n deud na fyddwn i'n hedfan yn ôl gan egluro y byddwn i'n hwylio 'nôl, o Boston i Gaergybi yn Sir Fôn, ar gwch hwyliau. Rwy'n cofio'i ateb o'n dda: '*Catch me doing that!*' Ie, pawb at y peth y bo. Tra roeddwn i'n teimlo'n simsan yn yr awyr, doedd o ddim am fynd ar gwch.

Oedd gen i brofiad mewn hwylio? Wel, nac oedd. Dim yw dim, cyn belled ag oedd mynd allan ar antur mor enbyd. Yr unig hwylio oeddwn i wedi'i wneud, eto diolch i'r Urdd, oedd ar Lyn Tegid yng Nglanllyn. Pan fyddai rhywun yn cael gwers hwylio yng Nglanllyn, roedd honno'n digwydd yn y parlwr. Cadair wedi'i throi ar ei chefn, brwsh llawr a thamaid o raff neu gortyn. Y brwsh oedd y llyw, wedyn cydio yn y cortyn a chamu dros y gadair o'r *starboard* i'r *port side* ac yn ôl i'r *starboard* a gweiddi rhywbeth fel 'Troi! Yn barod i droi!' A throi. Gwthio'r brwsh llawr ar draws fel *tiller* a chroesi i'r ochr arall er mwyn cael cydbwysedd. Mynd drwy'r symudiadau. Dyna oedd y wers gynta.

Wedyn, wrth gwrs, hwylio ar y llyn. Ond ar gychod bach yn unig. Fe fyddwn i'n hwylio llawer gydag Als, neu Alwyn Williams. Roedd ganddo fo gatamaran o'r enw 'Dal D'afael', enw addas iawn, yn enwedig os oedd y gwynt yn chwythu i lawr o'r Aran am dre'r Bala. A ninnau'n ei hwylio hi i'r eithaf.

Dyna'r unig brofiad oedd gen i. Ond roedd gen i ddigon o hyder. Doeddwn i ddim ofn o gwbwl wrth feddwl am hwylio'r Atlantig. Hwyrach mai gwirion o'n i, ond ro'wn i'n edrych ymlaen yn arw i gael cychwyn arni. Oherwydd tywydd garw roedd y fordaith draw yn rhedeg yn hwyr a bu'n rhaid anghofio am lanio yn Efrog Newydd a mynd ymlaen yn syth am Boston. Yno fe fyddai'r criw yn gadael a ninnau'n hedfan i mewn i gymryd eu lle. Felly fe aeth y llechfaen Ewyllys Da i Boston yn gynta yn hytrach nag i Efrog Newydd.

Y peth cynta i ni ei wneud oedd cludo'r llechfaen ar awyren o Boston i adeilad y Cenhedloedd Unedig yn Efrog Newydd. Dwi'n cofio'n dda gweld yr adeilad am y tro cynta gyda holl faneri gwledydd y byd o'i gwmpas. Fe ges i eistedd yng nghadair Llywydd y Cenhedloedd Unedig, ac yno, heb neb ond ni yn y stafell, fe wnes i ddatganiad fod Cymru'n cael annibyniaeth. A'r aelodau eraill o'r criw yn cymeradwyo'n uchel.

Roeddwn i wedi cael ychydig o drafferth i hedfan i mewn i'r Taleithiau Unedig, trafferth i gael *visa*, gan fod gen i record. Ro'n i wedi bod yng ngharchar yn dilyn rhai o ymgyrchoedd Cymdeithas yr Iaith Gymraeg. Felly roeddwn i'n *undesirable* neu'n *unwanted alien*. Doeddan nhw ddim yn siŵr iawn beth i'w wneud ohona'i. Fe ges i fy ngwrthod y tro cynta. Fe sgwennodd Dafydd Elis Thomas i'r Llysgenhadaeth ar fy rhan ac fe ges i *visa* dros dro yn nodi'n bendant y dyddiad pan fyddai'n rhaid i mi adael.

Fe gawson ni gyfle i weld ychydig ar Efrog Newydd, yr Afal Mawr hwnnw sy'n denu pobol fel magned. Roedd y ffaith fy mod i yn America, ar yr ochr arall i'r byd, yn ddigon i mi fod yn geg-agored. Pob dim yn *waw*!

Peth arall a'm gwnaeth i'n gegrwth oedd maint papurau newydd America. Os ydach chi'n meddwl fod y *Times* neu'r *Telegraph* ar ddydd Sul yn fawr, dydach chi ddim wedi gweld y *New York Times*. Bobol bach, mae o fel Beibl Peter Williams. Mae yna bob mathau o dameidiau ynddo fo, yn chwaraeon, hysbysebion, newyddion ac, wrth gwrs, colofnau ariannol Dow Jones ac ati. A rwy'n cofio eistedd yn y maes awyr yn mynd drwy'r hysbysebion a dod ar draws un na welais i mo'i debyg cynt nac wedyn. Rhyw wag o ymgymerwr angladdau wedi cymryd talp go lew o dudalen yn deud: *Why walk around half-dead when I can bury you for $25?*

Cerdded i lawr y stryd wedyn i edrych mewn ffenestri siopau a gweld dyn yn sefyll wrth siop gwerthu hufen iâ o bob mathau o liwiau a chynhwysion, yn gweiddi, '*Hi! Come on you guys, give your tongue a sleighride!*'

Enghraifft arall oedd gweld rhywun wrth ochr y stryd yn glanhau sgidiau. Dim ond mewn ffilm yr o'n i wedi gweld hynny o'r blaen ac, er nad oedd gen i sgidiau lledr, dyma fynd at y dyn i'w cael nhw wedi'u glanhau er mwyn cael tynnu fy llun. Roedd o'n anfodlon. '*Hey,*' medda fo, '*Do you think I'm commercial or something?*'

'Nôl â ni i Boston ac i ryw dafarn ger yr harbwr, y Black Lion, lle'r oedd yno ganu Gwyddelig a Guinness. I mewn â ni er mwyn gweld pwy fyddai'n canu yno'r noson honno. Yno roedd cyn-aelod o'r Chieftains neu'r Clancy Brothers neu rywun tebyg, a dyma fynd ato a gofyn a allai o ganu cân Gymreig. Yn gwbwl ddifrifol dyma fo'n cynnig canu 'The Green, Green Grass of Home', Tom Jones. Doedd o ddim llawer o Gelt os mai dyna oedd ei syniad o gân Gymreig.

Fe ddaeth hi'n amser i ni ddechrau hwylio am Gymru. Roeddan ni'n hwylio allan yn sgîl ras y *Tall Ships*. Roedd llongau o wledydd ledled y byd yn cymryd rhan a llawer o gychod yn hwylio yn eu sgîl. Roedd yno long fawr wen anferth o America yn llawn cadlanciau, a'r rheiny i fyny ar y mastiau. Pawb yn hwylio allan i'r bae, hofrenyddion uwchben, a llawer yn ffilmio'r ras. Yna llong Gwylwyr y Glannau yn rhoi clec ar y canon a phawb yn cyfeirio am y môr mawr a'r gorwel.

Fe fu'n gychwyn braf ond roedd hi'n duo. Yn amlwg, roedd y tywydd ar droi. Un peth sydd ynghlwm â hwylio yw'r cyfeillgarwch clòs, y *camaraderie* hwnnw rhwng hwylwyr â'i gilydd. Dydi pobol y tir ddim yn medru dallt hyn. Mae fel tae pawb yn edrych allan am ei gilydd. Ein capten ni oedd Chris Mansfield. A dyma fo'n derbyn neges oddi ar fwrdd y llong fawr Americanaidd yn dymuno mordaith dda i bawb a'u bod nhw am godi hwyliau gan obeithio ein gweld ni ar ben y siwrne. Ond am Norwy yr oedd y rheiny'n hwylio. Peth braf oedd clywed capten y llong anferth yma'n mynd i'r drafferth i ddymuno'n dda i ni. Ac i gyd-fynd â'r neges, y tri chant o gadlanciau yn neidio o'r mastiau, y rhaffau yn eu dwylo a'r hwyliau'n codi. I ffwrdd â nhw a'r gwynt yn llenwi'r hwyliau.

Dyma bawb yn gwahanu a'r deuddeg ohonom ar y *Sir Thomas Sopwith* yn wynebu'r fordaith nobl am adra. Ac mi roedd hi'n fordaith nobl fel y mae'r llyfr log yn nodi. Mae'n rhaid cadw'r llyfr log, wrth gwrs, er mwyn profi fod rhywun yn aelod o'r criw yn ôl deddf ryngwladol. Rhaid ei lenwi'n ddyddiol ac, ar gyfer y neb sydd am wybod yn swyddogol hyd y fordaith, roedd hi'n 3,082 o filltiroedd o Boston i Gaergybi.

Mae'r tywydd yn medru bod yn gyfnewidiol iawn dros Fôr Iwerydd. Un funud mae'r môr fel llyn llefrith, y funud nesaf mae hi'n storm go iawn gyda graddfa'r gwynt i fyny i ddeg. Roeddan ni wedi mordwyo fil o filltiroedd o Boston ac yn hwylio i lawr Llif y Gwlff. Yno mae'r dŵr yn gynhesach ond mae'n beryglus hefyd gan fod y dŵr cynnes yn toddi mynyddoedd iâ ac mae darnau o'r rheiny'n arnofio yma ac acw, gyda dim ond rhan fechan ohonyn nhw uwchlaw'r môr. Croesi Llif y Gwlff oedd yr enwog *Titanic* pan suddwyd hi. Felly roedd yn rhaid cadw gwyliadwriaeth go drylwyr rhag i ni daro un o'r mynyddoedd iâ hyn.

Un bore fe glywson ni sŵn cnocio ar gragen y cwch a beth oedd yno ond morfilod peilot anferth yn crafu eu cefnau a chwara â'r llong. Pethau eraill gwerth eu gweld oedd dwsinau o lamhidyddion yn neidio i fyny i'r awyr ac yn ein dilyn ni.

Fe fydden ni'n cadw cysylltiad â Chymru'n rheolaidd. Yn un peth fe fydda Alun 'Sbardun' Huws o'r rhaglen Sêr ar HTV yn sgwrsio â ni. Roeddwn i wedi gaddo gwneud adroddiadau o ganol yr Atlantig, ddwy fil o filltiroedd i ffwrdd.

Un bore braf dyma'r criw yn penderfynu mynd i nofio, pawb ond fi. Penderfynu aros ar fwrdd y llong wnes i. Digwyddais edrych ar yr offer oedd yn mesur dyfnder y môr ac fe waeddais arnyn nhw fod y tir filltir a hanner o danynt. Fe fu hynny'n ddigon iddyn nhw neidio 'nôl ar fwrdd y llong.

Fe fydden ni'n cymryd ein tro i gadw gwyliadwriaeth, pedair awr ar y tro, ddydd a nos. Un bore a ninnau'n llonydd yn y doldryms yn yr haul poeth dyma sylwi fod gwawr borffor ar wyneb y môr. Beth oedd yno ond mintai o *Portugese Men O'War*, y pysgod jeli peryglus o wenwynig. Roedd yno filoedd ar filoedd ohonyn nhw, haid a oedd tua milltir o hyd a hanner milltir o led, ar eu ffordd i rywle.

Un tro fe welsom yr awyr yn duo a chyn hir fe daethom i gyfarfod â storm Grym Deg. Yn ffodus fe welson ni'r storm yn dod o bell ac fe gawsom amser i dynnu'r hwyliau i lawr a pharatoi'n hunain drwy wisgo harneisi. Mae aml un wedi gofyn i mi ddisgrifio'r profiad o fod mewn storm Grym Deg ar ganol Môr Iwerydd. Fe ddweda i fel hyn, heb or-ddeud, roedd y tonnau tua deugain troedfedd o uchder. Ac, o gofio mor fach oedd ein llong ni, mae rheiny yn donnau anferth o uchel. Roedd y profiad fel bod ar ben to capal, yna cyfrif i bump, ac mae rhywun lawr wrth ymyl y giât. Cyfrif i bump eto, a dyma ni 'nôl ar ben to'r capal. A hynny'n cael ei ailadrodd dro ar ôl tro ar ôl tro. I fyny ac i lawr, i fyny ac i lawr. Hyn yn digwydd ddydd a nos am dros dridiau a'r gwynt heb ostegi o gwbwl. Yn wahanol i yrru ar y ffordd fawr, doedd dim lle i dynnu i mewn i gael panad. Ond fe ddaethon ni drwyddi. Ac ar adegau felly mae hwyliwr yn gwybod fod yna Rywun goruwch yn edrych ar ein holau ni.

Ar adegau felly hefyd mae rhywun yn canfod rhyw gêr wahanol. Stopio mwynhau hwylio ond yn canfod rhyw nerth sy'n gwneud i ni weithio gyda'n gilydd er lles pawb. Cyd-dynnu i ddod drwyddi. Un peth sy'n bendant, y mistar ydi'r môr ac mae'n rhaid ei barchu. Dyna'r wers fawr a ddysgais i, a dyna'r wers fawr fydda i'n ei phregethu wrth unrhyw un sydd am fentro i hwylio. Mae o'n beth anhygoel a'r unig ateb yw mynd hefo fo yn hytrach na thynnu'n groes, a gobeithio dod allan y pen arall. A dyna beth wnaethon ni.

Peth arall i'w gofio wrth hwylio Môr Iwerydd yw perygl rhai o'r cynhwysion amlwytho anferth sy'n cael eu cludo gan y llongau nwyddau mawr. Mae rhai o'r rhain yn cael eu golchi oddi ar longau ac yn arnofio droedfedd neu ddwy o dan wyneb y môr. Fe all cwch hwylio gyda'r gwynt o'i ôl daro i mewn i un o'r rhain a suddo.

A niwl, wrth gwrs. Fe all y niwl gau i mewn yn sydyn. *All hands on deck* yw hi bryd hynny a chanu'r corn niwl fel rhybudd i gychod eraill sydd o gwmpas. Caniad bob hanner munud, yn amrywio o dri chaniad byr ac un hir. Yn ffodus roedd ganddon ni offer radar sy'n pigo i fyny unrhyw beth o fewn cyrraedd. Fe glywson ni sŵn rhywbeth un tro, a ninnau yng nghanol niwl. Dim i'w weld dim ond y sŵn ar y radar yn dynodi fod rhywbeth yn agosáu. Dyna un o'r pethau mwyaf dychrynllyd welais i erioed. Yn sydyn dyma'r llong gargo anferth yma'n dod allan o'r niwl a ninnau bron iawn odani. Dim ond cael a chael fu hi iddi fynd heibio. Doedd neb i'w gweld ar y *bridge,* fe allen nhw fod wedi'n taro ni a'n suddo heb i neb arni fod yn ymŵybodol o hynny.

Mae yna ryw straeon fod llongau masnach Gwlad Groeg y gwaethaf sy'n bod. Dywed un hanesyn ei bod hi'n arferiad ganddyn nhw adael ci ar y *bridge* a hwnnw wedi'i hyfforddi i gyfarth pan mae o'n gweld llong arall, tra bod y criw i gyd yn cysgu.

O ddod allan o'r niwl ar achlysur gwahanol gwelsom long arall, nid nepell i ffwrdd. Cysylltu â ni gan ofyn be' yn y byd oeddan ni'n ei wneud ar fôr mor fawr a ninnau ar ddim byd mwy na phren lolipop. Llong o Wlad Belg oedd hi, a'r criw yn synnu i ni lwyddo i ddod drwy'r fath storm.

Yna, ar ôl wyth diwrnod ar hugain ar y môr, cyrraedd Caergybi a'r camerâu teledu yn ein disgwyl ni. Gofynnodd rhywun i mi a fyddwn i'n fodlon gwneud y fath fordaith eto? Fy ateb parod i oedd 'Baswn, ond i mi gael bath, cyri a chael un noson yn fy ngwely fy hun'. Roedd hi wedi bod yn antur wefreiddiol na châ'i byth ei thebyg eto.

Rwyf wedi hwylio, wrth gwrs, droeon wedyn, a chystadlu mewn rasus enbyd iawn. Rwy'n mwynhau hwylio a'r daith gynta honno wnaeth ysgogi'r cyfan. Fe gyfeiriais i eisoes at fudiad hwylio ar gyfer yr anabl, y *Jubilee Sailing Trust.* Fe wnes i hwylio gyda nhw wedyn. Roedd llong y *Soren Larsen* wedi'i haddasu'n arbennig – hon oedd y *Charlotte Rose* yn y gyfres *The Onedin Line* – ar gyfer rhai ag anabledd corfforol. Fe fues i'n ddigon ffodus i gael hwylio arni droeon gyda chriw anabl, rheini eto wedi aros yn gyfeillion mynwesol i mi. Yn anffodus, mae dau o'r arloeswyr wedi'n gadael ni, Aled Eames a Frank Rhys Jones, dau oedd wrth eu boddau yn hwylio'r math yma o long, y ddau yn haneswyr môr, wrth gwrs.

Mae ail long gyda'r Ymddiriedolaeth bellach, y *Lord Nelson*, honno hefyd wedi'i haddasu'n arbennig. Ond y *Soren Larsen* sydd agosaf at fy nghalon wrth i mi gofio am y mordeithiau hynny o Abertawe drosodd i Iwerddon ac o Iwerddon drosodd i Benbedw ac i Lerpwl. Fe fyddai hanner y criw yn rhannol anabl a'r lleill yno i helpu. Rhyw system *buddies*. A'm *buddy* mawr i oedd Hywel Williams o'r Bermo ac mae o'n dal yn gyfaill mynwesol. Dim ond un peth sydd o'i le arno – mae o'n cefnogi tîm pêl-droed Lerpwl tra rydw i'n cefnogi Wrecsam a Manchester United.

Byddai Hywel mewn cadair olwyn ond, fel *buddy* fe fyddai'r ddau ohonom yn cadw watsh gyda'n gilydd ac yn llywio. Roedd hi'n llong mor arbennig fel y medrai rhywun oedd hyd yn oed yn ddall ei llywio, rhywun fel Glyn Heddwyn Jones o Drawsfynydd, er enghraifft. Meddyliwch, Glyn yn llywio llong hwyliau deu-fast, er ei fod o'n ddall. Roedd arni system lle'r oedd y cwmpawd yn gweithio ar sain trydan a Glyn wedyn, o glywed sain arbennig, yn gwybod beth i'w wneud. Doedd dim byd yn fwy gwefreiddiol na gweld Glyn, er yn ddall, yn llywio llong enfawr llawn hwyliau i fyny Bae Ceredigion ar y ffordd i Arklow a Wicklow.

Rwy'n cofio un fordaith go arbennig pan oeddan ni'n gadael Lerpwl ar hyd arfordir Cymru am Iwerddon. Roeddan ni'n hwylio am Ddulyn, yna i Wicklow, ymlaen i Arklow, drosodd i Sir Benfro ac yna i Abertawe. Dyma hwylio allan o Lerpwl gyda Hywel Williams, oedd erbyn hynny wedi cael ei fedyddio'n Honci, a hynny am reswm da iawn. Hywel, mewn cadair olwyn, ar watsh gyda mi ar dywydd garw. Mae'r môr yn medru gwneud i rywun newid 'i liw, yn gynta'n wyrdd ac wedyn holl liwiau'r enfys, am wn i. Hywel oedd yr un gora am chwydu bellaf pan oedd o'n sâl môr. A dyna'r rheswm am y llysenw.

Ar hyd bob ochr i'r *Soren Larsen* roedd cabanau heb ddrysau, fel y gallai'r anabl fynd â'u cadeiriau olwyn i mewn yn hawdd. Roedd Hywel, un noson, wedi bod ar watsh ac wedi dod i lawr yn y lifft i newid o'i ddillad hwylio. Mae'n rhaid iddo fod wedi anghofio cloi olwynion ei gadair achos, yno roedd o wrthi'n newid o'i drowsus a'i got oel er mwyn gwisgo dillad sych, cynnes ar gyfer swper a phedair awr o orffwys pan hitiodd y llong don groes. Fe daflwyd Hywel drosodd ac mi saethodd ei gadair olwyn allan o'r caban ac i mewn i'r *galley*. Fe hitiodd y gadair rywbeth a thaflwyd Hywel ar ei fol dros y bwrdd o flaen y rhai oedd wrthi'n bwyta. Heb air o'i ben na gwên ar ei wyneb fe osododd un wag o Sgowsar ei ŵy rhwng bochau pen-ôl Hywel, 'Diolch, Hywel,' medda fo, 'rown i'n chwilio am gwpan ŵy'. Fedrai Hywel wneud dim ond chwerthin a dydi o byth yn cael anghofio. Mae o dragwyddol yn gael ei atgoffa o'r stori yna.

Un arall a gâi bleser mawr, gan lwyddo i wneud pethau na fedrwn i byth mo'i gwneud, oedd Arthur Rowlands. Roedd Arthur yn heddwas, wrth gwrs, pan gollodd ei olwg wedi i ddyn ar ffo ei saethu ar Bont ar Ddyfi. Doedd ei ddallineb yn amharu dim ar fwynhad Arthur wrth hwylio. Doedd hi'n ddim ganddo ddringo i frig y mast, tua naw deg troedfedd o uchder. Ond Arthur fyddai'r olaf i alw'i hun yn ddewr. Ei ateb parod oedd ei fod o'n medru dringo mor uchel am nad oedd o'n gweld y perygl. Ond dewr oedd o. Gwefr oedd gweld y fath rai yn 'mynd fel pawb i forio'.

Un arall fu'n cyd-hwylio â mi ar y *Soren Larsen* oedd fy ffrind pennaf, Dilwyn Morgan, neu Porc fel y mae'n cael ei adnabod. Fe aeth yn ddiweddar ar ei ben ei hun, a minnau'n cynhyrchu rhaglen deledu arno, o Southampton i'r Azores ac yn ôl. Roedd angan dewrder a disgyblaeth i wneud hynny. Mae angan rhywbeth fel y *Jubilee Sailing Trust* yng Nghymru. Mae'r mudiad yn gweithredu yma, mae'n wir, ond breuddwyd Aled Eames, Frank Rhys Jones ac eraill ohonon ni oedd cael mudiad tebyg yng Nghymru, nid yn unig i'r anabl, ond i ieuenctid yn gyffredinol. Fe fuasai'n wych petai'r Urdd neu rywun yn gwneud rhywbeth tebyg. Dadl Aled bob amser oedd fod Cymru'n wlad gyda thri chwarter ohoni yn arfordir, ac eto doeddan ni ddim yn manteisio ar hynny.

Dyna i chi ddringo mynyddoedd wedyn: mae pobol yn tyrru yma, pobol ddŵad gan fwyaf, ac fe fyddwn ni'n cwyno am hynny. Ond fe fyddai'n braf gweld yr Urdd yn cael Trefnydd Môr gyda llong bwrpasol yn Aberystwyth, neu rywle addas arall, ac yn hwylio'r glannau a throsodd i Iwerddon i roi profiad i bobol ifanc.

Mae gen i ffrind mawr, Fred Kilgour o Fae Colwyn, a ddaeth i Drefor adeg y Rhyfel ac sydd wedi dysgu Cymraeg, gan ddod yn ddarlithydd yn Llandrillo yn Rhos. Fe gododd un bore a chanfod ei fod o'n fyddar bost. Mae o wedi bod yn sgwennu dros y blynyddoedd i'r Swyddfa Gymreig ac wedyn at y Cynulliad yn ymbil am long hwyliau er mwyn i bobol Cymru gael y profiad unigryw yma o fwynhau'r elfennau.

Mae rhywun yn medru mynd i glwb hwylio ac fe fydda i'n mynd i Glwb Hwylio Pwllheli ac yn rasio. Mae o'n weithgaredd sy'n medru bod yn beryglus, wrth gwrs, ond mae o hefyd yn cynnig hwyl garw. Ond nid pawb sydd mor ffodus â chael mynd i fannau fel hynny. Felly, petai rhyw arian i'w gael o Ewrop fe fuaswn i wrth fy modd yn gweld Cymru'n cael llong addas, boed hi o dan ofal yr Urdd neu unrhyw fudiad tebyg. Ac mi faswn i'n enwi'r llong yn *Fred Kilgour*.

Yr Ynyswr

Os oes yna fwyniant i mi mewn môr, mae yna fwyniant i mi hefyd ar ynysoedd. Dwi wedi croesi am nifer o flynyddoedd i Ynys Enlli. Ymhell cyn i mi fynd yno, fe wyddwn am fodolaeth y lle, diolch i athrawon goleuedig yn Ysgol Gynradd Llan Ffestiniog, athrawon oedd yn ein gwneud ni'n falch o'n gwlad ein hunain. Fe gofiaf eiriau un ohonynt o hyd: 'I lawr ym mhen draw Braich y Pwll mae Ynys Enlli, lle mae ugain mil o saint wedi'u claddu'. Ac fel rhyw fagned, o'r dechrau, roedd yr ynys bellennig hon yn fy nenu. Oedd, roedd hi'n bellennig yn fy nychymyg i.

Erbyn hyn rwyf wedi bod yno nifer o weithiau. Am fy mod yn adnabod y lle yn dda, fe fydd pobol yn gofyn i mi'n aml: 'Pwy sydd biau Ynys Enlli?' Fe fydda i'n ateb, 'Y ni. Ni'r Cymry'. A diolch i bobol fel y diweddar Athro Bedwyr Lewis Jones ac eraill, mae hynny'n wir. Rhan o stad Arglwydd Newborough oedd hi, cyn ei gwerthu i rywun yn Llunden oedd am greu rhyw fath o hafan i sêr y byd pop, gan osod helipad yno a phob math o bethau eraill fel pwll nofio anferth, cnocio rhai o'r tai i lawr, pwmpio dŵr i fyny o'r môr a chael harbwr i longau mawr. Ond, bob tro y câi cais cynllunio'i gyflwyno, câi ei wrthod gan Gyngor Plwyf Aberdaron, diolch i'r nefoedd.

Rhoi'r ffidil yn y to wnaeth y dyn o Lunden yn y diwedd a phenderfynu gwerthu'r lle. Dyna pryd yr aeth

Bedwyr ac eraill ati i greu Ymddiriedolaeth Ynys Enlli. Hel arian a'i phrynu i Gymru. Chaiff hi byth mo'i gwerthu eto gan nad ydi hi ddim yn eiddo i un person. Cymru biau hi.

Fe fydda i'n ceisio perswadio pobol i fynd i Enlli i fwynhau'r amser da ges i yno ond nid amser da yn yr ystyr fod rhywun yn mynd yno i gael hwyl. Os yw rhywun am fynd i gael llonyddwch, mae o'i gael yno. Os yw rhywun am fynd i encilio, mae o'i gael yno. Os yw rhywun yn mwynhau cwmnïaeth, ewch yno'n ddau neu dri. Mae o'n lle delfrydol i gael llonydd i fyfyrio, i ddarllen, i sgwennu. Mae o'n lle arbennig iawn.

Fe fues i'n mynd yno flwyddyn ar ôl blwyddyn yng nghwmni Emyr Huws Jones, yntau'n hoffi ynysoedd, a'r Parchedig Brifardd Gwynn ap Gwilym. Fe fysa fo'n barod i gyfaddef iddo naill ai sgwennu nifer o'i gerddi ar Enlli neu gael ei ysbrydoli i'w sgwennu gan y lle. Cwmni da, bwyta'n iach, cerdded. Mae o'n lle unigryw.

Fe fues i am gyfnod hefyd yn aelod o Gyngor Ynys Enlli, yn ceisio helpu i edrych ar ôl y lle, codi arian, gwneud rheolau fel tasa rhywun yn aelod o Gyngor unrhyw dre neu bentra. Mae Enlli'n agos iawn at fy nghalon ac rwyf wedi treulio wythnosau bwy'i gilydd yno. Weithiau byddai'r tywydd yn rhy arw i ddod yn ôl. Dwi wedi'n gweld ni'n cael ein hachub gan ddau hofrennydd mawr, melyn oedd yn digwydd bod ar ymarfer ar Ynys Manaw, o bobman, ac yn dod drosodd i Enlli i gludo rhyw ugain ohonon ni oedd wedi aros yno dair wythnos yn hwy na'r bwriad oherwydd fod y tywydd wedi troi. Dyna un peth am Swnt Enlli, mae o'n medru bod yn lle peryglus.

Mae hynny i'w ddisgwyl. Yr hen enw Cymraeg ar Swnt Enlli, sy'n llawer mwy rhamantus ac sy'n disgrifio'n berffaith beth ydi o, yw Gorffrydiau Caswenan. Mae o fel twmffat rhwng y tir mawr a'r ynys. A pan mae'r llanw'n troi a môr Bae Ceredigion yn ceisio gwthio'i ffordd drwy'r tamaid yma sy' ond yn rhyw filltir o led, mae o fel ceisio gwagio bwcedaid o ddŵr i lawr twmffat. Felly mae o'n lle enbyd. Gyda'r gwynt o Raddfa Pedwar neu Bump o'ch ôl, mae hi bron yn amhosib croesi ac mae nifer o longau wedi dod i'w diwedd yno.

Dyna i chi Ynysoedd y Shetland wedyn. Rwyf wedi'u troedio nhw hefyd. Taith ar drên o Gaerdydd i Aberdeen, Ems a minnau wedi hel tocynnau mewn rhyw bapur Sul oedd yn golygu y caen ni fynd ar unrhyw daith trên am ddegpunt ac Aberdeen oedd y pegwn uchaf y medrem ni deithio iddo ar drên. Yn wreiddiol, doeddan ni ddim am fynd ymhellach ond dyma ofyn i'n gilydd be' wnaen ni yno? Ems gafodd y syniad o fynd ymlaen i Ynysoedd y Shetlands. Erbyn hyn rydym wedi bod yno ddwywaith neu dair ac wedi dod i adnabod y lle a'r ynyswyr a chael croeso.

Nid Albanwyr yw'r trigolion ac maen nhw'n barod iawn i ddeud hynny. Mae rhyw gymysgedd mawr o'r hen lwythi yn dal yno, pobol sy'n nes i Norwy nac i'r Alban. Rwy'n cofio eistedd mewn tŷ potes yn Lerwick, hen le bach wedi'i adeiladu i mewn i'r muriau a rhywun lleol yn gofyn pam wnaethon ni ymweld â'r Shetlands? Ninnau'n ateb ein bod ni'n hoffi teithio ar drenau ac yn hoff iawn o ynysoedd. Ei ateb o oedd fod yno ddigon o ynysoedd ond fod yr orsaf drenau agosaf yn Bergen, yn Norwy.

Mae o'n lle difyr iawn i fynd os yw rhywun yn hoff o

fywyd gwyllt, adar, morloi, dyfrgwn ac ati. Mae posib mynd i fyd arall lle mae modd eistedd am oriau yn gwylio'r bywyd gwyllt. Yno hefyd, ochr yn ochr â natur, mae datblygiadau olew a nwy. Os ewch yno yn nhrymder gaeaf, does dim byd yn well na swatio o flaen tanllwyth o dân coed, neu dân mawn ran amlaf, a dod i adnabod pobol newydd uwch peint ar ôl cinio o gig *Aberdeen Angus*. Paradwys. Dim ond eistedd a mwynhau.

Ynys arall dwi wedi bod arni yw Agistri yng Ngroeg lle mae'r hin yn brafiach. Erbyn hyn mae gen i fwthyn bach yno. Nid y fi pia fo, dydw'i ddim yn credu y byddai'n iawn i mi brynu bwthyn yng ngwlad pobol eraill. Rydw'i wedi dod yn ffrindiau mawr efo'r Groegwyr lleol. Dydi'r ynys ond rhyw ddeng munud o'r fam ynys, Egina. Dechrau mynd yno gyda chriw o ffrindiau o Aberystwyth tua saith mlynadd yn ôl wnes i: Lyn a Jên, Ems ac Ifan Defi. Ar ôl cael eu siomi gan ambell le arall, dyma nhw'n taro ar Agistri, ar ddamwain bron, a phenderfynu mai hon fyddai eu hynys nhw o hynny ymlaen. Erbyn hyn mae hi'n bererindod flynyddol bob diwedd Awst. Fe ddechreuais innau fynd gyda nhw ac erbyn hyn rwy'n mynd yno'n rheolaidd.

Fe benderfynais fy mod am weld y lle pan nad oedd yno ddim gwenoliaid ac rwyf wedi bod yn gwneud hynny bellach ers tair blynedd. Mynd yno dros y Nadolig a'r flwyddyn newydd, dros Ŵyl y Pasg hefyd ac rwyf wedi dysgu'r iaith, hyd y galla'i. Pan fydda'i yno am ddau neu dri mis yn y gaeaf fe fydda i'n mynd i'r ysgol bob bore dydd Mawrth a dydd Iau, ysgol gynradd ym mhentre Milos. Mae'r prifathro, Nicos, yn hapus iawn o fy nghael i yno i mi gael dysgu geirfa am bethau bob dydd yr ynys, o gofio nad yw'r plant yn siarad Saesneg yno.

O ddod i adnabod y teuluoedd fe ges i gynnig rhentu bwthyn bach ym Metochi, sydd i fyny ar y graig uwchlaw Milos a Skala. Petai'r bwthyn yng Nghymru mi fasa fo yn Sain Ffagan gan ei fod o'n un o fythynnod gwreiddiol yr hen bentra, gyda balconi wedi ei naddu i mewn i'r graig. Rwy'n talu'r swm anferthol o £700 y flwyddyn am y lle, ac am gael mynd a dwad fel y mynna i.

Mae mynd i Agistri bellach yn bleser pur oherwydd mae fy mhetha fi yno, fy nillad a'm moto-beic bach, yr *Yamaha Chappie 50cc*. Dim ond mynd â bag molchi a neidio ar awyren o Gaerdydd neu Fanceinion sydd ei angan. Dwi'n medru cychwyn o Gymru, ac o fewn pum awr rwy'n eistedd ar sgwâr Milos yn yfed *Retsina*, y gwin lleol, yng nghwmni'r pentrefwyr. Rwyf ar ben fy nigon yno ac rwy'n hoffi meddwl fy mod wedi cael fy nerbyn ganddyn nhw. Pan mae hi'n aeaf yno, maen nhw wrth eu bodd pan fydda i'n mynd mewn i'r *taverna* yn lle Votis a Katarina a Vasso. Mae nhw'n fy nghyfarch gyda '*Helo, tourista*' a minnau'n ateb '*Ochi tourista*'. Mae nhw'n gwybod yn iawn nad ydw i'n mwynhau cael fy ngalw yn dwrist. Dim ond pryfocio maen nhw, wrth gwrs – mae nhw'n bobol groesawgar iawn. Does neb yn gwybod pwy ydi Mici Plwm yno, pwy ydi Meical ddrwg o dwll y mwg na phwy ydi Michael Lloyd Jones. Mikaelis ydw i iddyn nhw. Mae hynny'n gyfarchiad beunyddiol pan fydda i'n cerdded neu'n gyrru heibio ar y moto-beic bach 'nôl a mlaen: y plant i fyny at yr oedolion yn gweiddi '*Yasu, Mikaelis*'. Mae hi'n ddihangfa braf iawn. Dwi wrth fy modd yn mynd yno.

Tasa'r Bod Mawr, yn ei ddoethineb, yn cynnig rhwbiwr i mi ac yn mynnu bod Cymru'n cael ei rhwbio allan oddi ar fap y byd, rwy'n gwybod i ble'r awn i – naill ai i Wlad Groeg neu i Iwerddon. Y Cymry, y Groegiaid a'r Gwyddelod, mae 'na rywbeth tebyg iawn yn ein hanian ni. Rhyw agwedd gwneith-fory'r-tro. Does dim brys i wneud dim byd.

Ynys arall dwi wedi bod arni yw Hawaii. Dyna i chi ynys. Pan wnes i godi pac a mynd am Hawaii doeddwn i ddim yn siŵr iawn a wyddwn i lle'r oedd y lle. Ar fap, dydi o ddim yn edrych yn bell o dir mawr America, dim ond fel croesi ffos, ond mae hedfan o Los Angeles i Honolulu yn cymryd pum awr. Dwi'n cofio meddwl, dyma fi, ar yr ynys y mae pawb yn breuddwydio amdani, ynys Blue Hawaii. Aros mewn rhyw *condominium*. Beth ydi hwnnw, medda chi? Wel, yn syml, cwt ar lan môr oedd o i mi. Ond roedd o ar draeth Waikiki, un o ddraethau enwoca'r byd. Er hynny, dydi o ddim yn draeth naturiol. Wedi'i greu mae o wedi i filoedd ar filoedd o dunelli o dywod gael eu cludo yno o'r ochr arall i'r ynys.

Mae yno ddau westy Hilton, os ydi hynny'n deud rhywbeth. Mae o'n lle a fomiwyd gan y Siapaneaid, y cyrch a ddaeth â'r Americanwyr i mewn i'r Rhyfel ac mae'r llong, yr *Arizona*, yn dal yno fel cofeb i'r rhai a gollodd eu bywydau yn ystod y cyrch hwnnw ar Pearl Harbour. Diddorol yw clywed gan y trigolion am y newid mawr a ddigwyddodd yno ers y Rhyfel. Fe geisiodd y Siapaneaid wastoti'r lle â'u bomiau; yn awr, nhw sy'n berchen y lle.

Maen nhw'n deud mai dim ond rhyw dair mil o wir bobol Hawaii go iawn sydd ar ôl yn y byd. Nid eu bod nhw i gyd ar yr ynys. Maen nhw wedi'u gwasgaru dros y byd. O blith y rhai sydd yno, mae 'na ferched anhygoel o brydferth yn eich croesawu yn eu sgertiau *hula-hula*. Pleser arall oedd cael gorwedd ar draeth Waikiki a gwerthfawrogi prydferthwch o fath arall, prydferthwch natur.

Ond i mi roedd yna bris i'w dalu. Mae 'na hen gân Saesneg sy'n mynnu mai cŵn gwallgof a Saeson sy'n mynd allan yn haul canol dydd. Ychwanegwch Mici Plwm atyn nhw. Hyd yn oed o'r eiliad y glaniais i yno, fedrwn i ddim disgwyl i gael mynd o'r awyren a newid i drowsus cwta a gorwedd ar draeth Waikiki. Wnes i ddim meddwl mai newydd droi hanner dydd oedd hi. Llosgi! Bobol bach. Do, mi losgais yn ofnadwy. Ac o feddwl fod gen i bum wythnos arall i fynd, ddysgais i mo'r wers. O, na, roedd yn rhaid i mi fod yn frown. Cymrodd un o'r brodorion drugaredd drosta i y diwrnod wedyn, o weld bod fy ngwynab i'n fflamgoch, gan fy nghynghori i fynd i'r siop gornel i brynu finag. Nid y finag cyffredin brown ond finag gwyn ac i mi fynd i'r gawod a thywallt y finag gwyn yma drosta. Fe fydda hwnnw'n tynnu'r llosg o nghnawd i, o leia dyna be' oedd o'n ei honni. Dyma fynd gan feddwl fy mod i wedi cael cyngor doeth. Ond, rwy'n amau fod ôl ewinedd fy nwylo i'n dal ar nenfwd y gawod hyd heddiw. Phrofais i erioed y fath boen. Rydw i'n amau i mi ddioddef strôc haul gan i mi aros yn y tywyllwch am tua tridiau heb agor llenni'r caban. Dyna lle'r o'n i'n iro fy wyneb, fy mreichiau a 'nghoesau ag eli. Yn anffodus roeddwn i wedi gwneud gormod o ddifrod iddo fendio mewn cyn lleied â phum wythnos. Fe ddaliais i fynd i'r haul ond gwnawn yn siŵr fy mod i wedi gwisgo'n iawn.

Yn anffodus roedd hi'n rhy hwyr i'r wyneb. Roedd hwnnw'n edrych fel pen-ôl babŵn.

Hyd yn oed wrth ddychwelyd ar yr awyren roedd fy ngwyneb i mor ddrwg fel bod y gweinyddesau'n cymryd biti drosta i ac yn dod â hufen i mi rwbio arno yn achlysurol. Rwy'n cofio Sbardun a Gwenno'n dod i'm nôl o faes awyr Caerdydd ar ôl i mi hedfan o Honolulu i Los Angeles, o Los Angeles i Efrog Newydd, ymlaen i Heathrow ac yna Caerdydd. Roeddan nhw'n meddwl fy mod i'n edrych fel y golau coch ar oleuadau traffic.

Beth am yr ynysoedd eraill y gwnes i ymweld â nhw? Ynys Môn, wrth gwrs – a thybed a ddylwn i gynnwys Awstralia, o feddwl beth ydi maint honno? Dwi wedi bod yno droeon, ac yn Seland Newydd, ar ynys y De a'r Gogledd. A Hong Kong hefyd. Fe es i i'r ynysoedd hynny droeon gyda Chôr Godre'r Aran, talu fy ffordd a mynd fel *civilian*, yn yr ystyr nad oeddwn i'n canu yn y côr. Fe fanteisiais ar rai o'r ymweliadau hyn drwy recordio rhaglenni radio ar gyfer Radio Cymru. Rhywbeth tebyg i'r hyn oedd Alun Williams yn arfer ei wneud ond fy mod i allan yno yn holi'r Cymry alltud, y *ten-pound tourists* fel y caent eu hadnabod gynt. Eu holi nhw a holi hynt a helynt eu disgynyddion nhw. Teithio, felly, fel rhyw hanner gohebydd a hanner cynhyrchydd radio. Hefyd, mynd i'r cyngherddau a mwynhau'r gwmnïaeth, wrth gwrs.

Erbyn hyn rwyf wedi bod ym mhob un o ddinasoedd Awstralia: Cairns, Darwin, Perth, Brisbane, Canberra, Sydney, Hobart – bob man, a thrwy Awstralia yn cynnwys Ayer's Rock ac Alice Springs. Yr un modd yn Seland Newydd, hynny eto drwy'r côr. Rwy'n teimlo rywsut 'mod i'n perthyn i'r côr gan fod fy ngwreiddiau i'n mynd 'nôl i Langywer. Mae nhw'n griw anhygoel, ac Eirian Owen, yr arweinyddes yn dalentog tu hwnt. Pwy feddyliai fod pentra bach fel Llanuwchllyn, ardal o tua saith gant o bobol, yn medru cynnal un o gorau mwya'r byd o ran safon a bod pedwar enillydd y Rhuban Glas yn perthyn i'r côr.

Erbyn hyn rwyf wedi teithio reit o gwmpas y byd ar wahân i'r tamaid hwnnw sydd rhwng Seland Newydd a Hawaii. Hynny yw, fe es i adra o Hawaii i'r gorllewin ac o Seland Newydd i'r dwyrain. Felly dim ond y tamaid yna sy'n fy atal rhag deud i mi fynd, yn llythrennol, o gwmpas y byd.

Rwy'n cofio dod yn ôl o un daith gyda'r côr a galw yn Hong Kong ar y ffordd. Roedd ganddyn nhw un cyngerdd i'w gynnal yno mewn clwb Cymry alltud. Os ydych chi am unrhyw offer trydanol, y diweddara ar y farchnad, yna Hong Kong yw'r lle i fynd. Mae'r crynoddisgiau diweddara yno hefyd, ac maen nhw i'w cael am chwartar y pris, neu lai. Ond yr hyn sy'n dda, o fentro i lawr y strydoedd cefn, ydi cael gweld bywyd go iawn y brodorion. Yno mae Hong Kong yn troi yn Pong Pong. Fe rof i gynnig ar unrhyw fwyd. Rwyf wedi cael cyri ci, cyri neidr, cyri cynffon mwnci, a ddim yn gwybod ar y pryd beth o'n i'n ei fwyta.

Yn dilyn yr un cyngerdd hwnnw yn Hong Kong roedd gan y côr ddau ddiwrnod i ymlacio cyn hedfan am adra. Penderfynais i aros ymlaen. Doedd gen i ddim gwaith pendant i fynd yn ôl iddo ar y pryd ac roedd y tocyn hedfan yn un agored, felly dyma benderfynu mynd am wlad Thai. Fe holais am awyren i Bangkok a dyn cwrtais yn gofyn pryd yr hoffwn i fynd. Atebais fy mod i wedi pacio ac yntau'n deud wrtha i am fynd yn syth i'r maes awyr lle'r oedd awyren ar fin gadael. Ffarwelio â'r côr ac i ffwrdd â mi i wlad Thai gan benderfynu wedyn mynd ymlaen i Burma, lle bu Nhad adag y Rhyfel. Fel yr o'n i ar adael dyma aelod o'r côr, R. J. Williams, yn gofyn a fyddwn i'n ymweld â mynwentydd y rhai fu farw wrth godi'r bont dros afon Kwai. Finna'n deud y baswn i. Dyma fo'n gofyn a wnawn i gymwynas ag o ac a oeddwn i'n adnabod Sid Askew o Benrhyndeudraeth. Oeddwn, wrth gwrs. Plymar wrth ei grefft, un yr oeddwn i wedi cydweithio ag o ym Mhortmeirion pan oeddwn i'n drydanwr. Wel, yn un o'r mynwentydd ar lan yr afon Kwai roedd brawd Sid wedi'i gladdu. Gofynnodd a faswn yn fodlon tynnu llun y bedd er mwyn Sid. Doedd neb o'r teulu wedi ei weld.

Iawn, ffwrdd â mi i Bangkok ar Air China, glanio yno a mynd draw am y bont ar afon Kwai. Erbyn hyn mae'r lle wedi'i fasnacheiddio. Mae yno rhyw olau mawr a miwsig milwrol a sŵn gynnau'n tanio. Dyma dri ohonom yn llogi Land Rover ac yn gyrru i lawr ar hyd yr afon, a finna'n mynd o fynwent i fynwent i chwilio am fedd brawd Sid Askew. Fel yn Ffrainc a Gwlad Belg mae'r mynwentydd yno'n cael eu cadw'n lân a chymen.

Yn y ddwy fynwent gynta doedd dim sôn am unrhyw un o'r enw Askew yn y cofnodion a dyma fynd i'r drydedd. Troi'r tudalennau, a dyna lle'r oedd o, yr ail neu'r trydydd enw ar y rhestr. Dilynais y cyfarwyddiadau a chanfod y bedd lle'r oedd ei enw a'i oedran ar y garreg, dim ond pedair ar bymtheg oed. Finna wedyn yn tynnu llun y bedd, twtio tipyn o gwmpas a gadael tusw o flodau

yno. Mor drist oedd hi nad oedd neb o'r teulu wedi
medru mynd yno dros yr holl flynyddoedd. Euthum ar
fy ngliniau a deud gweddi fach gan ychwanegu mai fi
oedd yn cynrycholi'r teulu o Benrhyndeudraeth.

Fe es â'r ffilm i'w datblygu ar unwaith rhag ofn fod
yna broblemau gyda'r lluniau. Fe fyddai dod adra a
gweld nad oedd y lluniau yn glir yn rhywbeth trist iawn
ar ôl mynd yr holl ffordd. Ond oeddan, roeddan nhw'n
lluniau go dda.

Ymlaen wedyn i ffin gwlad Burma gan gofio fod Nhad
wedi bod yn y cyffiniau. Yna, ymhen tair wythnos mynd
adra a chwilio am R. J. Williams er mwyn iddo basio'r
lluniau ymlaen i Sid Askew. Roedd golwg drist iawn ar ei
wyneb o.

'Pryd ddest ti adra?'

Finna'n ateb, 'Ddoe ddiwetha, a dyma fi'n dod â'r
lluniau ar fy union.'

'Wel, mae'n amlwg na wnes ti glywed,' medda fo. 'Fe
drawyd yr hen Sid Askew yn wael a mae o wedi marw.'

'Pryd?'

Fe ges i fy syfrdanu gan yr ateb. Roedd Sid wedi marw
yn ystod y munudau hynny y gwnes i weddïo uwch bedd
ei frawd. Yn union fel petai rhyw ollyngdod wedi dod
wrth i rywun, o'r diwedd, gyrraedd i dalu teyrnged ar lan
y bedd. Pan oeddwn i uwch y bedd ar lan afon Kwai
roedd Sid Askew yn marw a chafodd o byth weld lluniau
bedd ei frawd.

Ond, o feddwl am ynysoedd, fy mreuddwyd fawr i
erioed yw cael mynd i ynys bellennig Tristan da Cunah
yn Ne Môr Iwerydd. Mae hi ryw ddwy fil o filltiroedd o
Dde Affrica a rhyw 1,500 milltir o Dde America, heb fod

141

ymhell o ynysoedd Ascension. Ynys fechan, unigryw iawn, yw hi yng nghanol y môr mawr. Rai blynyddoedd yn ôl fe ffrwydrodd llosgfynydd arni a symudwyd y boblogaeth oll i wledydd Prydain.

Fe fyddwn i'n siarad llawer am y lle gydag Aled Eames. Fe'i clywais o'n deud fod y boblogaeth wedi ei gwneud i fyny o wyth neu naw cyfenw, yn cynnwys y Greens, y Macdonalds ac enwau cyffelyb. Mae nhw'n hanu yn uniongyrchol o longwyr a longddrylliwyd ac a ddaeth i dir. Mae eraill yn hanu o'r milwyr Prydeinig oedd yn gwarchod Napoleon ar ynys gyfagos Sant Helena gan i rai ohonynt ddewis aros yno wedyn. Mae nhw'n siarad Saesneg, ond y math o Saesneg a oroesodd o gyfnod Dickens ac yn gynharach.

Mae cysylltiad clòs rhwng yr ynys â Chymru a Chernyw. Un llong nwyddau sy'n mynd yno'n flynyddol ac mae honno'n mynd o'r Roath Basin yng Nghaerdydd gan gario nwyddau a'r post. Weithiau mae ieir yn cael eu cludo yno ac ambell gar neu lori, fel mae'r galw. Cwmni llongau Kernow – yr enw gwreiddiol ar Gernyw – sy'n gyfrifol am y gwaith ac mae un llwyth go-iawn yn mynd bob mis Chwefror.

Fe wnes i ymchwil manwl ar hanes yr ynys yn y gobaith y medrwn i berswadio S4C i ffilmio rhaglen ddogfen ar y lle. Roedd Aled Eames wedi fy ngoleuo ar hanes yr holl longwyr oedd wedi eu llongddryllio yno ac mi fuodd o'n ymchwilio i lyfrau cwmni yswiriant Lloyds, yn Llunden, er mwyn canfod cysylltiadau Cymreig. Cymerwyd Aled yn wael cyn iddo orffen y gwaith ac fe wnes i barhau â'r ymchwil. Cefais addewid gan gwmni llongau Kernow y byddent yn barod i gludo criw ffilmio am y nesaf peth i ddim.

Roeddwn i wedi cysylltu â Chyngor yr ynys drwy Wyddel, o'r enw Brendan Daley, a oedd yn fath ar reolwr yr ynys. Roedd hwnnw wedi gwrthod i ddechrau am y byddai ffilm ar fywyd yr ynys yn eu gwawdio nhw oherwydd eu bod mor gyntefig. Roedd rhyw bapur Seisnig wedi gwneud sbort am ben eu gwasanaeth teledu, a oedd yn llwyr ddibynol ar fideos. Amau oedd y Cyngor y bydden ninnau'n gwneud yr un fath. Fe wnes i eu sicrhau mai trwy lygaid Cymro y byddwn i'n edrych a thrwy ei lygaid ef fel Gwyddel. Fe gytunwyd, a hynny â breichiau agored oherwydd y gwir ddiddordeb yr oeddan ni'n ei ddangos. Nid yn unig hynny, ond roedd y Cyngor yn barod i hepgor miloedd o bunnau oddi ar y gost o fynd yno. Fe gysylltais â chwmni teledu RTE yn Iwerddon, yn arbennig ag Eamonn O'Murray, hen gyfaill a oedd yn gweithio ar raglenni dogfen, i weld a oedd modd i'r rheiny hefyd fod yn rhan o'r ffilmio. Euthum draw i Ddulyn i'w weld o ac roedd o wrth ei fodd efo'r syniad.

Y bwriad oedd mynd ar y llong flynyddol, yr *MVS Sant Helena*. Cael rhywun, hwyrach o gartra Brendan Daley, i sgwennu llythyr ato a dilyn hynt y llythyr hwnnw drwy'r swyddfeydd didoli, drosodd i Gymru ac yna ar y llong yr holl ffordd i'r ynys a chyrraedd Brendan. Yn y fersiwn Gymraeg fe fyddai llythyr o Gymru yn mynd allan i un o'r trigolion.

Fe gydiodd y syniad yn nychymyg nifer o asiantaethau mawr. Yn ogystal ag RTE, roedd gan y National Geographic ddiddordeb. Roedden nhw'n ymwybodol nad oedd neb wedi bod yn ffilmio yno ers blynyddoedd. Y tro diwethaf i hynny ddigwydd oedd pan ffrwydrodd y llosgfynydd ym 1961 pan gludwyd y trigolion drosodd a'u cadw mewn gwersyll milwrol. Yno fe gynhaliwyd arbrofion digon annynol arnyn nhw ac fe ddychwelodd y mwyafrif mawr adra ymhen dwy flynedd. Roedd un teulu wedi aros yng Nghaerdydd a'r bwriad oedd mynd ag un o'r rheiny 'nôl gyda ni. Bonws mawr oedd clywed fod gŵr a gwraig, a oedd yng ngofal y gwasanaeth radio yno, yn Gymry Cymraeg. Rhwng popeth fe fyddai'r rhaglen yn gwneud teledu gwych.

Fe fu llythyru mawr ag S4C. Ond na, ches i na neb arall fynd. Rwy'n cofio'r bore pan dderbyniais y neges oddi wrth un o'r comisiynwyr, Cenwyn Edwards, yn deud nad oedd o'n credu fod y pwnc o ddiddordeb ac na allai S4C weld yn glir i ariannu'r prosiect. Rown i wedi gwneud cymaint o ymchwil. Mae'r ffeiliau gen i o hyd ac fe fydda i'n byseddu drwyddyn nhw'n hiraethus weithiau wrth feddwl bod fy mreuddwyd i o ymweld â'r ynys bellennig wedi ei dryllio. Ond mae hi'n dal i dynnu.

Pan dderbyniais y llythyr, cystal i mi gyfaddef i mi grïo. Un dydd mae'n bosib yr af i yno drwy fy ymdrechion fy hun. Ond, diolch i fympwy un neu ddau o bobol, chaiff gwylwyr S4C, yn anffodus, ddim rhannu fy mreuddwyd.

Fyddai neb yn ystyried Patagonia yn ynys yn ddaearyddol. Ond mae'r Wladfa yn ynys. Ynys o Gymreigrwydd a Chymreictod. Fe gyfeiriais eisoes at un o'm hynafiaid, Owen C. Jones yn mynd allan yno. Roedd o'n debyg iawn i mi, fe godai ei bac yn sydyn a mynd. Roedd o'n dipyn o anturiwr ac yn hoffi hwylio. Mi fuodd yn Awstralia 'nôl yn y bedwaredd ganrif ar bymtheg ac fe ddilynodd rai o'r minteioedd cynta i Batagonia, fo a'i chwaer. Rwy'n cofio Nain, sef mam Dad, yn deud fod ganddi gof plentyn o weld Owen C. Jones, sef brawd i dad Taid a brawd Llew Tegid, yn dod adra i Gymru gyda rhyw wregys arbennig â darnau o aur arno.

Fe ddaeth fy nghyfle i pan glywais bod cwmni teledu Taliesyn yn mynd yno i ffilmio cyfres o raglenni dogfen. Emlyn Williams oedd yn cynhyrchu, felly dyma godi'r ffôn a deud wrtho fod gen i deulu yno ac y baswn i wrth fy modd yn mynd efo nhw. Roeddwn i'n fodlon talu, wrth gwrs ond fe ges i gynnig mynd gyda nhw, ar yr amod fy mod i yn eu helpu, er mwyn lleihau'r gost.

Sôn am edrych ymlaen. Hedfan allan i Buenos Aires ac yna ymlaen i Drelew. Roeddwn i wedi darllen pob llyfr fedrwn i ar y Wladfa, am y minteoedd cynnar ac am y Mimosa. Roedd glanio yn Nhrelew fel glanio ar gae pêl-droed Pontrhydfendigaid, maes glanio ger adeilad tebyg i neuadd. Doedd dim byd arall yno, dim ond un cwt a digon o le i lanio'r awyren. Fe anfonodd Emlyn fi i gyfarfod â dyn oedd yn ein disgwyl ni mewn bws, tra bod yr offer yn cael ei ddadlwytho. Ffwrdd â fi at y dyn oedd yn gwisgo cap stabal ac yn pwyso yn erbyn bws mini go gyntefig. O ran ei olwg roedd o'n edrych fel Cymro. Fe allai yn hawdd fod yn dod o Ddinas Mawddwy neu ardal gefn gwlad arall yng Nghymru ac wrth i mi gerdded ato rown i'n meddwl mai rhywun oedd wedi dod draw o flaen y criw ffilmio i drefnu pethau oedd o. Cyflwynais fy hun iddo – yn Gymraeg – ac yntau'n ateb drwy ddeud mai Percy Lloyd Jones oedd o. Gofynais iddo ers pryd roedd o yno, gan ddisgwyl iddo ateb iddo fod yno ers pythefnos, hwyrach.

'Rhyw hanner awr,' medda fo.

'Ie, ond ers faint ydach chi wedi bod yn y wlad?'

Dyma fo'n sbïo'n syn arna'i â'i ben ar un ochr, 'run fath â robin goch. 'Dydw'i erioed wedi bod oddi yma. Yma dwi wedi cael fy ngeni a fues i erioed allan o'r wlad yn fy mywyd.'

Roeddwn i'n methu credu'r peth. Dyna lle'r oeddwn i'n siarad Cymraeg â rhywun hanner ffordd ar draws y byd, a'i Gymraeg o yn Gymraeg pur. Roedd o fel Cymraeg Daniel Owen. Pan ddywedais fy mod i'n *excited* o ddod drosodd am y tro cynta, doedd o ddim yn dallt ystyr y gair. Sbïodd yn syn arna'i eto. Yng Nghymru mae geiriau Saesneg wedi llithro i mewn i'r Gymraeg heb i ni sylwi, bron. Ond roedd ei Gymraeg o yn Gymraeg ei daid a'i nain, Cymraeg pur. A dyma fynta wedyn yn deud rhywbeth yn Gymraeg gan ddefnyddio gair nad oeddwn i'n ei ddallt. Gair Sbaeneg.

Wedi ceisio dygymod â'r sioc, dyma ddeud wrtho pwy oeddwn i – disgynnydd i Owen C. Jones. Edrychodd dros ei ysgwydd fel petai o am wneud yn siŵr nad oedd neb arall yn clywed.

'Gwranda, 'ngwas i,' medda fo, gan roi ei law ar fy ysgwydd. 'Paid ti â meiddio deud wrth neb pwy ydwyt ti.'

Rown i'n meddwl mai jôc oedd y cyfan. Ond dyma fo'n fy nhynnu i'n glosiach ac yn ail-adrodd y rhybudd.

'Paid ti â meiddio dweud wrth neb pwy ydwyt ti neu mi wnân nhw dy grogi di.'

Roeddwn i am wybod mwy. A'r ateb oedd i Owen C.

Jones fynd â hadau arbennig drosodd yno. Ond o'u hau, roedd yr hadau wedi esgor ar bla o chwyn. Enw'r chwyn yw Wansi. Dyna, o leiaf, yr ynganiad. Mae'r enw yn llygriad o enw Owen C. Jones – Owan C, – Wansi. Do, fe enwyd y blodau felltith ar ei ôl, blodau chwyn sydd wedi difetha erwau ac erwau o dir da.

Mae'r Wansi wedi ymledu i bob man fel eithin neu redyn, a waeth i neb geisio'i losgi na'i dorri na'i reoli. Wnaiff yr un anifail nac aderyn ddim byd ag o ac mae ganddo wreiddiau sy'n droedfeddi o hyd. Felly mae fy nheulu i wedi cael enw drwg iawn am gyflwyno'r Wansi i Batagonia. Ond wnaeth hynny ddim difetha fy ymweliad.

Mae gen i fodryb, Gweneira de Gonzales de Davies, yn byw yn Nhrelew, un o'r Cymry pybyr sy'n ymwneud â'r eisteddfod a'r capal. Ond mae'r ffaith fod y fath bobol yn siarad Cymreg ym Mhatagonia, yn fy marn i, yn wyrth. Mae o fel disgyn ar y blaned Mars a chael eich amgylchynu gan haid o bobol bach gwyrdd. A'r Gymraeg honno mor bur, mor fyw ac mor groyw. A rŵan mae yna adfywiad gan fod mwy a mwy o'r ieuenctid yn dysgu.

Fe deithion ni ar hyd a lled y Wladfa ac mi dyngais yr awn i 'nôl rhyw ddiwrnod. Ond fe wylltiais rai pobol ar ôl i mi sgwennu erthygl yn *Golwg* ar ôl dod adra. Fe ddywedais fod Patagonia yn prysur droi yn rhyw Disneyland dosbarth canol Cymru – hynny yw, yn lle ble mae'r Cymry'n mynd i gael eu synnu. Ond erbyn heddiw mae'r Cymry sy'n mynd yno yn gefnogol iawn ac mae llawer, ar hyd y blynyddoedd, wedi gwneud pethau cadarnhaol iawn. Pan oeddwn i yno roedd Gwilym Roberts yno hefyd ac mae ef bron â chael ei dderbyn fel brodor erbyn hyn. Ef oedd un o'r rhai cynta i fynd allan yno fel athro, ond erbyn heddiw, wrth gwrs, mae yna nifer wedi dilyn ei esiampl.

Fe hoffwn i weld petha'n mynd gam ymhellach. Dim yn unig ein bod ni'n gyrru athrawon yno ond yn anfon hefyd seiri, trydanwyr, peirianyddion ac ati, fel bod pobol y Wladfa yn medru cymysgu â phobol gyffredin. Fe fyddai danfon crefftwyr yno yn beth llesol iawn. Gyrru rhai sy'n arwain clybiau neu fudiadau ieuenctid wedyn, neu rywun i gychwyn theatr. Erbyn heddiw mae hi gymaint yn haws mynd yno ac mae pobol fel Elvey Macdonald yn trefnu teithiau i dywys pobol o gwmpas ei famwlad.

Rwy'n cofio aros y tu allan i'r Gaiman pan es yno i gyfarfod â Gwilym Roberts, a gweld Stryd Michael D. Jones a Siop Emlyn, a phawb yn siarad Cymraeg. Fe â i yn ôl. Dyma'r magnet sy'n fy nhynnu. Mae hi'n dlawd yno yn economaidd ond mae yno gymdeithas sy'n gyfoethog mewn pethau pwysicach nac arian.

Hwyl ar y Mast

Fe ddois i gysylltiad â Chymdeithas yr Iaith Gymraeg am y tro cynta 'nôl yn y dyddiau pan oedd yna brotest yn Yr Wybrnant, Penmachno. Yno, wrth gwrs, oedd cartra'r Esgob William Morgan, cyfieithydd Y Beibl i'r Gymraeg.

Ar y pryd roeddwn i'n ymhél â Theatr y Gegin yng Nghricieth a dwi'n meddwl mai mynd iddi wnes i o dan ddylanwad Wil Sam. Roedd Wil wedi deud y basa fo'n mynd yno ac roedd o'n bwriadu rhoi pas i Huw Ceredig. Roedd yn rhaid i Huw gael pas, wrth gwrs; er gwaetha'r ffaith iddo deithio gymaint dydi o ddim yn gyrru.

Roeddwn i'n ffrindia mawr ar y pryd â merch o Stiniog ac roeddwn i wedi rhyw sôn wrth honno y baswn i'n mynd. Doedd hi ddim yn rhy hapus â hynny gan nad oedd ei daliadau hi ddim fel fy rhai i. Mi ddywedodd, os yr awn i, y byddai ein cyfeillgarwch ni bellach yn ffliwt. Wnes i ddim deud wrthi ar y pryd a awn i ai peidio. Ond mynd wnes i.

Roeddwn i'n byw ym Mhenrhyndeudraeth ar y pryd ac fe ges i fy nghodi i fyny yno. Fe arhosom ni yma ac acw ar y ffordd i hel arwyddion, 'run fath ag y basa ni'n hel mwyar duon, a mynd â nhw efo ni fel rhan o'n safiad.

Roedd torf luosog wedi ymgasglu y tu allan i'r Wybrnant. Un siaradwr rwy'n ei gofio'n arbennig yw'r diweddar Ddoctor R. Tudur Jones, Bala Bangor. Fe draddododd araith danbaid yn galw ar i Gynghorau ac awdurdodau eraill gymryd sylw o'r hyn oedd yn digwydd. Ar ddiwedd y cyfarfod fe ganodd pawb 'Hen Wlad fy Nhadau' ac roedd camerâu'r BBC a HTV yno yn ffilmio'r cyfan. Roedd camerâu answyddogol yno hefyd, mae'n siŵr, yn nwylo'r heddlu oedd am gael tystiolaeth weladwy am rai o'r protestwyr. Beth bynnag, wedi canu'r anthem genedlaethol fe drodd pawb am adra. Fe alwais yn Stiniog yng nghartra'r ferch nad oedd am i mi fynd a dyna lle'r oedd hi, yn eistedd wrth y bwrdd yn cael swper pan ddaeth rhaglen Y Dydd, HTV ar y teledu. Dyma Gwyn Llywelyn neu rywun yn deud: 'Heddiw fe gynhaliwyd protest gan Gymdeithas yr Iaith Gymraeg yn Yr Wybrnant, Penmachno ac yno roedd torf sylweddol wedi hel...' Y camera wedyn yn panio ar hyd y dorf gan ddangos Doctor Tudur yn areithio a'r dorf wedyn yn canu. Y camera'n mynd rownd a rownd gan sefyllian ar wahanol bobl yma ac acw. Ac yno, pwy oedd yn y tu blaen yn morio canu ond y fi. Fe drodd y ferch ata'i. Ddudais i ddim byd, dim ond codi o'r gadair, codi fy nghap stabal o'r peg ger y drws ac allan â mi. A dyna ddiwedd ar gyfeillgarwch arall.

Ond dyna oedd dechrau cyfeillgarwch â Chymdeithas yr Iaith. O symud i Fangor at Gwmni Theatr Cymru fe ddois yn llawer mwy amlwg yn y protestiadau. Trwy hynny y cefais i fy mhrofiad cynta ar y radio – a honno'n radio answyddogol, rwy'n prysuro i ddeud. Roedd Huw Castell Nedd, a oedd yn gryn arbenigwr yn y maes technolegol ag electronig, wedi adeiladu trosglwyddydd radio ac, o gefn fy fflat bychan i yn 10 Trem y Fenai, fe fuon ni'n darlledu'n eitha cyson.

Gan fy mod i erbyn hyn yn droellwr recordiau Disco Teithiol Mici Plwm roedd Huw yn defnyddio hynny. Fe wnaethon ni ddarlledu'n anghyfreithlon ar aml ·i noson yn enw'r Gymdeithas. Fe fydden ni'n ffonio o'r fflat at ein ffrindiau ym Mala Bang i ofyn a oeddan nhw'n ein clywed ni. Ac mi oeddan nhw, a rhai o'r tu hwnt. Wn i ddim a oedd yr holl wrandawyr yn ymwybodol nad oedd ganddon ni drwydded, a'n bod ni'n torri'r gyfraith. Mae'n siŵr eu bod nhw.

Fe ddaethom a'r fenter i ben ein hunain wedi i ni ddallt fod rhywrai ar ein trywydd a bod yr awdurdodau, drwy eu dyfeisiadau soffistigedig, yn medru dod o hyd i ffynhonnell y darlledu anghyfreithlon – yr union stafell. Fe gawson ni wared o'r dystiolaeth drwy daflu'r offer darlledu i dwll chwaral. Ond y fenter honno oedd dechra fy ngyrfa ddarlledu i.

O ran mynd i brotestiadau fe fyddwn i'n ffyddlon iawn. Roedd un brotest y tu allan i adeilad y BBC ym Mangor, ac mae yno lun o'r Michael Lloyd Jones hirwallt yng nghyfrol Gwilym Tudur ar Gymdeithas yr Iaith. Protestiadau y tu allan i lysoedd barn wedyn, os oedd un neu fwy o'r aelodau i ymddangos yno.

Mynd i brotest yn Llanrwst a dwyn arwyddion ar y ffordd; dygwyd rhai ohonon ni i'r celloedd, ac yn ein plith rhyw Myrddin ap Dafydd ifanc iawn. Mae hyn yn esbonio pam rydw i'n hogyn bach crwn mor nobl. Mae angan beio'r heddlu yn eu caredigrwydd am hyn. Mae o'n digwydd dro ar ôl tro pan fo rhywun yn cael ei gadw mewn unrhyw fath o gell neu garchar y tu allan i garchar swyddogol, bod yr heddlu yn medru bod y tu hwnt o garedig. Oherwydd mai'r un rhai fyddai'n ymddangos yn y gwahanol brotestiadau, mwy neu lai, fe fyddai'r heddlu a ninnau yn adnabod ein gilydd wrth ein henwau cynta, beth bynnag. Roedd deddf gwlad yn golygu y byddai'n rhaid i'r heddlu ofalu am eu carcharorion a'r gyfrinach oedd sicrhau eich bod chi'n cael eich arestio cyn cinio. Roedd yr heddwas ieuengaf neu blismon newydd yn cael ei hel allan i'r siop tships leol i 'nôl, weithiau, bump ar hugain o fagiau o tships a physgod. Cyn iddo fynd fe fydden ni'n gweiddi arno i gofio cynnwys pys slwdj.

Mae gen i gof, yn Llanrwst, wedi i ni gael ein rhyddhau, i Ffred Ffransis alw cyfarfod ar lan yr afon, wrth ymyl y bont. Ac mae'n saff i ddeud hyn rŵan, er i achos ddod yn sgil y digwyddiad, fod cynllwynio mawr wedi digwydd yno. Dyna pryd y trefnwyd protest fawr y mastiau teledu. Hwn oedd cyfnod protestio ar gyfer sicrhau sianel deledu Gymraeg. Yno ar lan yr afon yn Llanrwst y gwnaethon ni benderfynu meddiannu'r mastiau. Dau i ddringo i fyny gwahanol fastiau er mwyn atal rhaglenni Saesneg rhag cael eu dangos. Roedd llawer o erialau Cymru wedi eu troi at Loegr a'r bwriad felly, wrth feddiannu'r mastiau, oedd atal rhaglenni Saesneg rhag dod i mewn i Gymru, ac yn arbennig i setiau teledu teuluoedd Cymraeg.

Fe wnaed trefniadau na fyddai'n cywilyddio comando. Dewis dau ar gyfer pob un o ddeg neu ddeuddeg mast a, gan fy mod i'n byw ym Mangor, fe ges i fy newis ar gyfer Llanddona. Roedd hynny'n gyfleus yn ddaearyddol. Roedd pawb i feddiannu'r mastiau ar yr union ddyddiad, yr union amser. Mynd dros nos fel bod Cymru gyfan y bore wedyn, wedi i'r wasg a'r cyfryngau dderbyn datganiad wedi'i baratoi ymlaen llaw yng nghanolfan y

Gymdeithas yn Aberystwyth, yn dod i wybod am y gweithredu, sef bod dau o aelodau Cymdeithas yr Iaith ar bob mast.

Do, fe'm dewiswyd i ar gyfer Llanddona. Alwyn Gruffydd oedd y llall, cyn-ohebydd newyddion yn ddiweddarach a pherchennog cwmni cyhoeddusrwydd Utgorn. Roedd o wedi ei lysenwi ganddo ni yn Tariq Ali Bach, ar ôl y myfyriwr gweithredol hwnnw o'r London School of Economics oedd yn dipyn o ddraenen yn ystlys y sefydliad ar y pryd. Fo oedd i ddod gyda mi. Roedd o'n byw ym Motwnnog ac yn un o sylfaenwyr gwreiddiol Llên Llŷn gyda Mac, neu Alun Jones, un o'r siopau Cymraeg cynta ar ôl Siop y Pethe.

Y man cyfarfod oedd y tu allan i Goleg Bala Bangor. Fe ddylai plac gael ei osod ar wal yr adeilad am gyfraniad y lle hwnnw i weithgareddau fel hyn. Synnwn i ddim nad oedd y lle wedi'i fygio a bod heddlu cudd neu *agents provocateurs* ymhlith y staff neu'r myfyrwyr. Wedi'r cyfan, roedd pobol amlwg y Gymdeithas yno, Tecwyn Ifan a hefyd rhai o bobl y sefydliad, fel Elwyn Jones. Dyna ble roeddan ni i gyfarfod ar y nos Sul. Roedd Rhys Tudur, mab y Doctor Tudur, a Ieu Bryn wedi cael eu dewis i fynd â ni dros Bont y Borth.

Gwnaed y trefniadau mor fanwl â thactegau milwrol ac roedd gofyn gwneud galwadau rheolaidd i bencadlys y Gymdeithas yn Aberystwyth gan bob un o'r parau. Y bwriad oedd cyrraedd erbyn hanner nos. Dyma neges mewn côd yn dod o Aber gyda'r gorchmynion diweddaraf. Roedd hyn, wrth gwrs, er mwyn atal yr heddlu cudd rhag dallt. Roedd yna baranoia yn ein plith bryd hynny. Roedd pob dyn diarth yn ysbïwr a phob menyw ddiarth yn ysbïwraig. Y neges oedd i ni fynd mewn da bryd rhag ofn fod yr awdurdodau wedi dod i wybod ac yn bwriadu cau rhai o'r ffyrdd i'n hatal ni. Felly y neges i ni a oedd i feddiannu mast Llanddona oedd mynd yn gynnar i Ynys Môn, gan mai tasg hawdd fyddai cau Pont y Borth. Mynd tua hanner awr wedi wyth i naw o'r gloch, croesi'r bont, mynd i gyffiniau Llanddona a swatio yno'n dawel nes i'r amser penodedig o hanner nos gyrraedd.

Ond doedd Alwyn ddim wedi cyrraedd. Dyma ddanfon neges i lawr i Aber mewn côd yn deud fod Mici Plwm yn teimlo'n unig iawn heno. Ond fe âi, er ei fod o'n unig. Hynny'n golygu fy mod am fentro ar ben fy hun. Neidiais i'r car a dyma Rhys Tudur, Ieu Bryn a minnau i ffwrdd a chroesi Pont y Borth. Wnaeth neb ein stopio ac fe gyrhaeddon ni Landdona'n ddidrafferth. Mynd i'r cae lle safai'r mast, ac eistedd yno. Y bwriad oedd oedi nes y byddai'r rhaglenni Saesneg a gâi eu trosglwyddo drwy Fast Llanddona yn dod i ben am hanner nos. Ein gobaith oedd y byddai'r mast erbyn hynny yn ddiogel yn drydanol. Rhaid cofio, ac fel trydanwr rwy'n medru gwerthfawrogi hynny, bod y fath fastiau yn medru bod yn hynod o beryglus ac yn cario hyd at 11,000 o foltiau.

Dyma eistedd yno gan fynd i hwyl y brotest. Rhwbio *gravy browning* dros ein hwynebau rhag ofn i olau car, wrth fynd heibio, adlewyrchu ar y gwynder. Roeddan ni'n smocio, ac i atal unrhyw un rhag gweld y tân ar flaenau'n sigaréts dyma orwedd ar ein boliau a dal y sigarets i lawr tyllau cwningod.

Daeth yn hanner nos. Ffarweliodd Rhys Tudur a Ieu

Bryn gan ddymuno'r gora i mi. Roedd hi mor dywyll â bol buwch. Wn i ddim pwy oeddwn i'n disgwyl allai fy ngweld i ond, yn null y ffilmiau, dyma fi'n rhyw follusgo fy ffordd draw tuag at droed y mast. Dringo dros ffens i mewn i'r compownd, troi 'nôl a rhoi chwibaniad i ddeud fy mod i yno. Y chwibaniad oedd y signal i'r ddau fy mod wedi cyrraedd ac yn barod i ddringo i fyny'r mast. Yna dyma fi'n clywed chwibaniad o'u cyfeiriad nhw wrth iddyn nhw gychwyn ar eu taith yn ôl i Fala Bang gyda'r neges fy mod i wedi cyrraedd y nod.

Tra'n drydanwr roeddwn i wedi dysgu hen dric i weld a oedd unrhyw wifren neu offer trydan yn fyw. Gwlychu blaen y bys a tharo blaen y wifren goch. Fe fyddai rhywun yn cael sioc os oedd y wifren yn fyw, ond sioc fach sydyn fyddai hi, yn wahanol i'r ergyd gaech chi o ddal y wifren fyw yn dynn. Ond, wrth gwrs, pan fyddwn i'n gwneud hynny yn y Bwrdd Trydan fe fydden ni'n sôn am 240 folt. Petai'r mast yn fyw fe fyddai un mil ar ddeg o foltiau yn mynd drwy fy nghorff. Byddai angan rhywbeth amgenach na gwlychu blaen bys ar gyfer canfod a oedd mast yn fyw. Ond dyna be wnes i a ches i ddim sioc.

Rŵan dyma sychu blaen fy mys gwlyb ar fy nhrowsus a dechra dringo. Roeddwn wedi mynd i fyny i'r platfform cynta, rhwng pymtheg neu ugain troedfedd o'r llawr pan gefais y sioc fwyaf a gefais erioed. Roeddwn i wrthi'n sefydlu fy hun ar y platfform. Fel cyn-ddringwr roeddwn i'n ddigon doeth a chall i ddefnyddio harnais dringo ar gyfer clipio fy hun wrth asennau'r mast wrth i mi esgyn. Roedd gen i'r Caribina – clipio fy hun yn sownd, dringo, dad-gysylltu fy hun, clipio eto'n uwch i fyny ac yn y blaen. Mynd i ail-glipio oeddwn i pan deimlais rywun yn gwthio tîn fy nhrowsus a rhyw lais yn sibrwd yn uchel, 'Dos! Dos! Dos!' Bu bron iddi fod yn stori wahanol ar dudalennau blaen y *Daily Post* a'r *Western Mail* y bore wedyn – hanes un o aelodau Cymdeithas yr Iaith wedi powlio i'r llawr ar ei ben o fast Llanddona. Roeddwn i'n methu'n glir â dallt be' oedd yn digwydd. Meddyliais yn gynta mai ysbryd oedd yno, ond yr ateb oedd nad oedd Mici Plwm yn unig bellach. Roedd partnar wedi cyrraedd. A phwy oedd o ond Arfon Gwilym.

Yr hyn oedd wedi digwydd oedd i swyddogion y Gymdeithas yn Aber, o glywed fy mod i ar fy mhen fy hun, drefnu i Arfon ymuno â mi. Robat Gruffudd, Y Lolfa â'i gyrrodd o i fyny a fues i erioed mor falch. Fe fu yna gofleidio mawr yn y tywyllwch. 'Hai, AG!' 'Hai, MP!' Felly buodd hi. Ac yn fonws ar y cyfan roedd Enid, gwraig Robat, wedi paratoi pecyn blasus o frechdanau a hyd yn oed fflasg ar ein cyfer ni. Doeddwn i ddim wedi meddwl am betha felly. Roeddwn i wedi cael *Chinese* ym Mangor, yn y Kim Wah, cyn gadael. Oni bai am Enid mi fyswn i wedi bod i fyny yno drwy'r nos a'm bol yn wag.

Beth bynnag, dyma Arfon Gwilym a minnau'n dringo i fyny ac i fyny i'r entrychion. Eistedd yno a siarad. Yntau'n adrodd y stori sut y daeth o yno. Arfon, mae'n debyg, oedd wedi gwirfoddoli. Dyma fwyta'r brechdanau – tomatos cartra oedd ynddyn nhw – a sipian o'r fflasg tra'n rwdlan. Cyn iddi wawrio fe welson ni wyliwr nos i lawr yn y cwt, un a enwyd ganddo ni yn Seithenyn. Fe fedren ni ei weld o yn paratoi panad o de, yn darllen papur a gwrando ar y radio. Fe fedren ni ei weld o wedyn yn diffodd y golau mawr ac yn gadael un lamp fach ynghynn ar y bwrdd. Gorffwysodd ei ben wedyn ar y bwrdd i gael napyn.

Wrth iddi ddechra gwawrio dyma ni'n gweld un o'r golygfeydd hyfrytaf a welais i erioed. I lawr yn y cae ger y mast roedd llwynoges gyda thri neu bedwar o genawon wedi dod allan i fwynhau'r wawr yn torri. Y rhai bach yno'n chwara a'r hen lwynoges yn gorwedd tra'n eu gwylio. Roedd hi'n olygfa anhygoel.

Roedd hi'n dechrau cynhesu erbyn hyn a ninnau rŵan yn bwyta mwy o frechdanau Mrs Gruffudd, Y Lolfa. Roeddem yn dyfalu y câi'r datganiad ei roi i'r wasg a'r cyfryngau mewn tua tair awr. Gallem weld yn glir y ffordd o Fiwmares am Landdona a dychmygem olau glas ceir yr heddlu yn gyrru tuag atom toc, a'r heddlu'n cyrraedd ac yn ceisio'n cymell i ddod lawr, neu ein llusgo ni i lawr.

Yna dyma weld rhywun yn symud yn y cwt islaw, y gwyliwr nos. Roedd ei gloc larwm o wedi canu ac yntau wedi deffro. Dyna lle'r oedd o'n ymestyn ei freichiau a dylyfu gên wrth wneud ei banad. Yna fe agorodd y drws gan anadlu'n ddwfn, ei ben yn ôl yn syllu i fyny. Ac yna dyma fo'n ein gweld ni. Ac, fel llwynog Williams Parry, 'syfrdan y safodd yntau'. Be welai o ond y ddau yma i fyny ar ben ei fast o, wedi eu clymu'n sownd efo harneisi. Mi newidiodd ei wyneb. Fe aeth o'n welw. Roedd rhywun wedi dod ar ei batsh o, o dan ei drwyn o ac o flaen ei lygaid cwsg o, a dringo'i fast o. Y peth cynta wnaeth o – a'r peth cynta fyddwn i wedi ei wneud o dan y fath amgylchiadau – oedd gweiddi, gan ddefnyddio un neu ddau ansoddair Anglo Sacsonaidd na wnawn ni eu

157

gosod mewn print, yn deud wrthon ni am ddod i lawr. Gorchymyn heb 'plîs' wrth ei gynffon o.

'Na,' meddai'r ddau ohonon ni, fel petaen ni'n cystadlu ar y ddeuawd mewn steddfod.

'Dewch i lawr,' medda fo eto. Cyfle arall i ni.

'Na,' medda ni eto, fel petaen ni'n cydganu 'Flodyn gwyn, o ble y daethost' yn Steddfod yr Urdd.

'Reit,' medda fo, rwy'n mynd i ddringo fyny atoch chi. A mi tafla'i chi lawr.' A dyma fo'n dechra dringo.

Ond fe gafodd Arfon a minnau yr un syniad ar yr un pryd. Dyma weiddi i lawr arno fo, 'Dewch chi un ris yn uwch a fe wnawn ni biso drostoch chi'. A lawr yr aeth o ac yn ôl i'w gwt. Yno y buodd o am sbel yn tindroi fel ci yn ceisio dal ei gynffon ei hun. Yn amlwg, roedd o'n meddwl be fedrai o neud. Allan y daeth o gan weiddi unwaith eto, a'r tro hwn roedd ei lais o'n llawer uwch. 'Mi colbia'i chi. Mi gewch chi uffarn o gweir. Dewch i lawr.'

Ond y mwya'i gyd roedd o'n gweiddi, uchaf i gyd yr oeddan ni'n ddringo. Diolch iddo fo fe wnaethon ni ddringo i'r top a chael golygfa odidog oddi yno. A ddaethon ni ddim i lawr. Yna dyma'r hyn y gwnaethon ni ei ddarogan yn digwydd. Fe welson ni fodurgadau o geir heddlu yn gyrru tuag atom ni o bob cyfeiriad ac Arfon a minnau yn ysgwyd llaw wrth longyfarch ein gilydd. Dyna fu'r stori ymhob mast, mae'n debyg. Feiddiai'r awdurdodau ddim ailgynnau'r trydan yn y mastiau gyda'r canlyniad i ni lwyddo i gau i lawr bob rhaglen drwy Gymru benbaladr.

Fe ddaeth yr heddlu ac fe fu yna drafod. Roedd y Gymdeithas wedi penderfynu rhag blaen y byddai'r protestwyr yn disgyn o'r mastiau am ddeg o'r gloch y bore, beth bynnag. Ac, am ddeg, yn dawel a heddychlon, fe wnaethon ni ddisgyn ac ildio. Roedd un plismon yr own i'n ei nabod yn dda yn methu â dallt pam oeddwn i'n edrych fel rhyw bigmi bach brown. Roedd y *gravy browning* yn dal ar fy ngwyneb. Finna'n smalio fod oglau cinio dydd Sul arna'i.

Fe gawson ni'n rhoi yng nghefn y fan ac fe aethpwyd â ni i'n cyhuddo'n swyddogol. Dyna'r drefn yn hanes y protestwyr eraill hefyd. A dyna ni. Cyn hir fe gaen ni i gyd ein cyhuddo o gynllwynio. Mae achos cynllwynio yn drosedd ddifrifol iawn, yn enwedig Cynllwynio yn Erbyn y Goron. Ac, ar lyfrau deddf gwlad, dyma'r unig drosedd sydd yn dal i fygwth y gosb eithaf. Y cyhuddiad arall oedd torri ar draws darllediadau teledu.

Roedd yna ddau ar bymtheg ohonon ni yn cael ein cyhuddo ac, er mai dim ond *Special Arithmetic* wnes i basio yn yr ysgol, os ydi fy syms i'n iawn, dydi dau ddim yn mynd i ddau ar bymtheg. Felly mi oedd yna rywun yn rhywle wedi gweithredu ar ei ben ei hun neu roedd unigolyn yn cael ei gyhuddo o gynllwynio yn unig.

Yn dilyn ymddangosiad mewn Llys Ynadon fe gafodd yr achos ei drosglwyddo i Lys y Goron yn Yr Wyddgrug. Rhyddhawyd pawb oedd yno ar fechnïaeth. Yn y cyfamser roeddwn i wedi mynd i lawr i Felin Dolwerdd, melin Arthur Morris, brawd Dafydd Iwan, Alun Ffred a Huw Ceredig, yng Nghwmpengraig ger Castellnewydd Emlyn. Oherwydd fy mhrofiad fel trydanwr, roeddwn i wedi addo mynd yno beth bynnag, i osod y peiriannau. Yno yn bartner i Arthur yn y busnas yr oedd Robin

Huws. Melin Wlân Ceredig oedd ei henw swyddogol ac yno yr euthum, heb feddwl dim, ac aros mewn carafán.

Yn y garafán fe fyddwn i, yn ddigon naturiol, yn gwrando ar y radio. A dyma glywed y stori fod un ar bymtheg o aelodau Cymdeithas yr Iaith wedi eu trosglwyddo i Lys y Goron. Ond roedd yr heddlu yn awyddus i arestio un arall oedd wedi diflannu. Fi oedd hwnnw. Doeddwn i ddim wedi meddwl dim byd. Weithiau fe fyddai pobol yn galw yn y felin ac yn edrych mewn syndod wrth fy ngweld i yno. 'Fan hyn wyt ti'n cuddio?' fyddai'r sylw. Minnau'n esbonio nad cuddio oeddwn i ond gweithio i Arthur a Robin. Ac fe ddeuai'r ymateb: 'Wel, mae 'na chwilio mawr amdanat ti.'

A dyna fel y bu hi am bythefnos neu dair wythnos. Mae'n amlwg fod yna chwilio mawr amdana i ar hyd a lled y wlad, yn y porthladddoedd ac ati. Fyswn i'n synnu dim nad oedd yr FBI ac Interpol wrthi'n chwilio amdana i. Ac, o feddwl am ddifrifoldeb y cyhuddiad, rhaid fod rhai yn meddwl fod yna rywun peryglus iawn ar ffo.

Fe ddaeth y gwaith i ben, a 'nôl â mi am Fangor. Adra â mi i rif 10 Trem y Fenai a mynd i'r dafarn am damaid o ginio a pheint. Dywedodd John Bull, tafarnwr y Glôb, wrtha i fod yr heddlu wedi bod yn chwilio amdanaf. Chwerthin mawr. Toc dyma John Bull yn gofyn i mi be oeddwn i'n ei wneud ar y pryd? Dim byd. Dyma fo'n gofyn i mi a awn i 'nôl bwlb trydan sbesial iddo i oleuo'r bar, sef tiwb ffliworesent. Bant â mi. Rwy'n cofio cerdded i fyny heibio Gorsaf Reilffordd Bangor a heibio hen Ysbyty Môn ac Arfon. Wrth i mi basio mynedfa'r ysbyty, yn cario tiwb ffliworesent, dyma ddau gar yn ymddangos o rywle. Nid ceir arferol yr heddlu. Dyma nhw'n sgrechian i stop y tu ôl a'r tu blaen i mi gan fy nghau yn erbyn y wal. Allan o un ohonyn nhw daeth heddwas yr oeddwn i'n ei adnabod yn dda o brotestiadau eraill, y Ditectif Gerrard.

'A! Sut wyt ti, Mici?'

'Dwi'n dda iawn.'

'Tyd 'laen. Ti'n gwybod ein bod ni wedi bod yn chwilio amdanat ti, ond wyt?'

Fe wnaethon nhw, chwara teg, adal i mi alw yn y Glôb i roi'r tiwb i John. Ond wnaeth hwnnw ddim sylweddoli fod yna heddlu yn fy ngwylio rhag i mi ddianc drwy ddrws y cefn.

'Ah! Mici', medda fo. 'The police have just been in looking for you.'

Fe wyddwn i hynny'n dda. Dyma roi'r tiwb iddo a chael fy arwain yn ôl i'r car. Hwnnw'n fy ngyrru'n gyflym i Gaernarfon. Am fod yr achos i'w gynnal yn Yr Wyddgrug, ffwrdd â ni yno i mi gael fy nghyhuddo'n swyddogol.

Roedd y berthynas rhwng yr heddlu a'r Gymdeithas bryd hynny yn un ddigon cyfeillgar. Fe wydden nhw nad troseddwyr cyffredin oeddan ni. Doedd gwneud drwg a difrod ddim yn rhan o'n hymgyrchoedd ni. Troseddwyr cydwybodol oeddan ni. Stopiwyd y car yng nghyffiniau Corwen a dyma Gerrard yn gofyn i mi a oeddwn i wedi cael cinio. Nac oeddwn. Dyma fo'n agor ei focs bwyd ac yn siario'i frechdanau â mi, a rhannu ei de o'i fflasg.

Ymlaen â ni i'r Wyddgrug lle cyhuddwyd fi a 'nôl a ni i Fangor. Wrth ffarwelio dywedodd Gerrard y gwelai o fi yn Llys y Goron ac, ymhen hir a hwyr, dyna be ddigwyddodd. Dau ar bymtheg ohonon ni yn y doc yn wynebu cyhuddiad o gynllwynio. Pan ddaeth hi'n fater o bledio'n euog neu'n ddieuog, fe wnaethon ni wrthod pledio o gwbwl. Hynny am y rheswm syml nad oeddan ni'n teimlo y dylen ni fod yno. Mewn achos felly mae'r erlyniad yn derbyn y peth fel ple o ddieuog.

Yn y cyfamser, tra'r oedd yr achos yn mynd yn ei flaen, gorchmynnwyd y byddem oll dan glo. Ffwrdd â ni mewn bws i garchar Risley, sef y ganolfan gadw sydd ar gyrion Warrington. Ceisiodd nifer o gefnogwyr atal y bws drwy eistedd o'i flaen a cheisiodd eraill ysgwyd y bws o'r naill ochr i'r llall. Dyna lle'r oeddan ni, yn sownd mewn cyffion fesul dau, yn cael ein hysgwyd. Ond fe lwyddodd yr heddlu i glirio'r dorf ac i ffwrdd â ni. Ar flaen ac ar ochrau'r bws roedd y llythrennau HMP, yn dynodi *Her Majesty's Prison*. Arfon Gwilym fedyddiodd y bws yn Hotomobîl Mici Plwm. Roedd ganddo ni griw go arbennig yn y bws yn cynnwys Arfon Gwilym, wrth gwrs, Ffred Ffransis a Dafydd Yoxall, rhai yn fengach na'i gilydd. Wrth i ni fynd i mewn drwy ddrysau mawr pren Risley fe gawsom ein gwahanu yn ôl oedran, y rhai ifanc yn mynd i'r YP, neu'r *Young Prisoners* mewn un adain a ninnau'r rhai hŷn yn mynd i'r carchar mawr.

Nid carchar ydi Risley fel y cyfryw. Dylid nodi hynny. Rhyw gyffordd ydi o i gadw pobol sydd ar *remand*. Ar ôl dedfryd caiff rhywun ei symud wedyn i garchar go iawn. Ond, fel y cafodd ei fedyddio dros y blynyddoedd, mae *Grisly Risley* yn medru bod yn lle caled.

Ar y cyfan roedd y gofalwyr, neu'r sgriws, yn ddigon dymunol. Roeddan nhw'n ymwybodol, wrth gwrs, o'r math o droseddau yr oeddan ni wedi'u cyflawni. Roedd ganddyn nhw swydd i'w gweithredu ond doeddan nhw ddim yn dal dig fel y basa nhw, hwyrach, yn achos rhai oedd wedi cyflawni troseddau mwy atgas. Ar wahân i un neu ddau. Fe fu un o'r criw yn eitha anlwcus. Roeddan ni'n mynd i mewn drwy ddrws mawr pren i'r maes parcio. Mae yno faes parcio anferth gyda rhesi a rhesi o fysys carchar ac enwau'r gwahanol lysoedd ar eu blaen. I mewn â ni i'r dderbynfa lle y cawson ni'n galw i ddod ymlaen fesul un er mwyn nodi ein gwahanol fanylion, i wagio'n pocedi a'n cael i newid o'n dillad ein hunain i lifrai'r carchar. Ond gan ein bod ni ar *remand* roedd dewis ganddon ni i gadw'n dillad ein hunain. Wedyn dyma ni, bob yn un, yn cael ein galw i arwyddo ffurflen a chael llyfr bach yr un yn esbonio'r rheolau. Wedyn eistedd yn ôl. Dyma'r Sgowsar yma o ofalwr yn gweiddi enw'r nesaf ar y rhestr ac yn rhoi bloedd a oedd yn atseinio drwy'r hen neuadd Fictorianaidd.

'Gareth Lockwood!'

Neb yn symud. A dyma'r llais, yn fwy blin fyth, yn bloeddio eto.

'Gareth Lockwood!'

Neb yn ymateb. Dyma'r Sgowsar yn codi o'i gadair, roedd o'n amlwg yn gwybod pwy oedd Gareth Lockwood, a dyma fo draw ato fo.

'Gareth Lockwood', medda fo eto, reit yn ei wyneb. Ac yna dyma lais Gareth yn taranu'n llawer uwch na llais y Sgowsar.

'My name is Ap Siôn.'

Ond fel roedd o'n deud hynny dyma'r sgriw yn gafael yn ei bastwn a rhoi cnoc go hegar ar dop pen Ap Siôn. Ymateb Ap Siôn oedd codi ei law.

'Pax,' medda fo. Hynny yw, heddwch.

Fe'n gwasgarwyd i'n celloedd ac fe gefais i, wn i ddim ai cyd-ddigwyddiad oedd o, siario cell efo fy nghyddringwr, Arfon Gwilym. A dyna lle buon ni yn lladd amsar drwy ddarllen llyfrau a phapurau newydd.

Fe fydden ni'n deffro yn y bore ar gyfer y *slop-out* a bob bore fe ddeuai'r cyfarchiad arferol. Roedd Arfon yn y bync top a minnau yn yr un gwaelod. Sŵn y drysau'n cael eu datgloi yn atsain drwy'r lle. A'r adeg honno fe ddeuai'r cyfarchion yn ddi-feth bob bore.

'Bore da, MP,' o'r bync top.

'Bore da, AG,' o'r bync gwaelod.

Byddai hynny yn ein rhoi ni mewn hwyliau da am weddill y dydd. Codi a chael brecwast wedyn ac i lawr i'r man casglu at y bws am Lys y Goron. Roedd o fel trip dyddiol roedd y Bwrdd Croeso wedi'i drefnu i ni, o Warrington i'r Wyddgrug, ac yn ôl. Fe fydden ni'n mynd â'n bwyd gyda ni o'r carchar, rhyw ddau neu dri o focsys mawr. Fi oedd â'r cyfrifoldeb o gludo'r bocsys i'r bws fel petaen ni ar ryw drip Ysgol Sul i lan y môr.

Yr oedd y ddau warden oedd yn gofalu amdanom yn ddau o'r bobol glenia a fu erioed. Rwy'n dal i gofio'u henwau nhw, Mr Mackenzie a Mr Jackson. Nhw fyddai'n ein cyffio ni wrth ein gilydd yn y bws. Nid llaw chwith i law dde y person nesaf. O! na. Mae gan y Swyddfa Gartref ffordd o wneud petha. Câi fy mraich chwith i ei chroesi ar draws i gael ei chyffio wrth fraich dde Arfon Gwilym. Byddai'r ddau ofalwr wedyn yn eistedd y tu blaen, yn tanio'u sigaréts ac i ffwrdd â ni. Iddyn nhw roedd o'n ddiwrnod allan.

Roedd ein hysbryd yn uchel iawn. Wedi'r cyfan, nid troseddwyr oeddan ni mewn gwirionedd ond ymgyrchwyr cydwybodol. Fe fyddai canu mawr ar y bws a Mr Mackenzie a Mr Jackson wrth eu boddau. Roedd yna griw go dda ohonon ni, a rhai lleisiau da yn ein plith, a chanu fyddan ni yr holl ffordd. Fe fyddai'r ddau warden hyd yn oed yn gwneud ceisiadau am ganeuon i ni eu canu. Un cais oedd am 'Sosban Jack'. Sosban Fach oeddan nhw'n feddwl, wrth gwrs.

Un bore fe gawson ni wybod pwy oedd Houdini Cymdeithas yr Iaith. Yr annwyl Ffred Ffransis. Mi oedd o'n sownd wrth Dafydd Yoxall, un bychan llai na fi, rhyw bum troedfedd a blewyn o Flaenau Ffestiniog. Roedd Ffred, gyda'i hiwmor unigryw ei hun, wedi bod yn eistedd yno'n dawel. Toc dyma floedd wrth i Ffred alw ar y ddau warden. Dyma nhw'n troi i edrych. Gyda gwên lydan ar ei wyneb dyma Ffred yn codi'i ddwy law a'u chwifio yn yr awyr fel petai o'n eu cyfarch o bell. Gwenu wnaeth y ddau nes iddyn nhw sylweddoli fod Ffred â'i ddwylo'n rhydd. Roedd Ffred wedi llwyddo i dynnu ei law allan o'r cyffion. Dyma nhw'n ail-sicrhau Ffred wrth ei bartner breichledol ond gan wneud yn siŵr fod y cyffion yn cau un notsh yn dynnach. Fe wnaethon nhw, chwara teg, ymuno yn yr hwyl.

Un bore wrth i ni fynd drwy'r canu arferol dyma Ffred, eto gyda'i hiwmor unigryw, yn dechrau canu Oli-a-ci-ci ac oli-a-cw-cw. Ac wrth iddo fynd drwy'r mosiwns roedd o'n codi Dafydd Yoxall, druan, i fyny o'i sedd tuag at do'r bws.

Bob bore fe fyddai torf yn ein disgwyl ni yn Yr Wyddgrug ac yn ffarwelio â ni bob prynhawn. Wrth gyrraedd, fe gaem ein tywys i mewn fesul dau a'n cadw fesul tri neu bedwar mewn celloedd o dan stafell y llys i ddisgwyl i weithgareddau'r dydd gychwyn. Yno y bydden ni'n rhyw sefyllian ac yn cael golwg ar bapurau newydd Mr Mackenzie a Mr Jackson, wedi iddyn nhw orffen eu darllen. Yna fe gaem ein galw i fyny pan fyddai ein hangan.

Fel yna y byddai'r dyddiau'n pasio. Mynd a dod 'nôl, ninnau'n dal i wrthod pledio ac, o'r herwydd, ddim yn gwybod beth oedd yn digwydd yn iawn. Drwy'n twrneiod fe gawson ni wybod, ar yr wythfed neu'r nawfed diwrnod, fod yr achos bron ar ben. Yn Risley fe ddygwyd pawb ohonom at ein gilydd i un coridor i hwyluso pethau. Unwaith bu'n rhaid i ni basio celloedd lle'r oedd yna garcharorion digon amheus yn syllu arnon ni braidd yn fygythiol. Roeddan nhw'n ein bygwth ni gan geisio cael llyfrau, papurau neu sigaréts oddi arnon ni. Yn sydyn dyma floedd oddi wrth ein bugeiliaid, Mackenzie a Jackson.

'Stop!'

A dyma ni'n stopio. Trodd Mackenzie yn ei ôl a gwthio un o'r carcharorion mwyaf bygythiol yn erbyn drws y gell. Fe'i llusgodd o i'r gell ac fe glywsom sŵn sgarmes a llais Mr Mackenzie yn cyhoeddi'n uchel.

'Listen, laddie, this lot aren't robbers and thieves who go around, like you, bashing old women. These prisoners have principles, so shut it!'

A dyma fo'n troi 'nôl aton ni'n siriol.

'You didn't see any of that, did you, lads?' medda fo.

A ninnau'n ateb fel parti cydadrodd.

'No, Mr Mackenzie.'

A ffwrdd â ni. Yn nes ymlaen dyma fo'n ein galw ni i stop unwaith eto ac yn tynnu darn o sialc o'i boced. Ar y wal dyma fo'n sgwennu 'Taffies' Alley' a deud mai yno y bydden ni tan ddiwedd yr achos.

Ymhen tridiau fe ddaeth diwrnod ola'r achos a'r ddau warden mor sionc â phetaen nhw ar eu ffordd i weld ffeinal. Roedd y bws yn mynd â ni ar ein siwrne olaf o Risley.

Y canlyniad fu tymhorau o garchar i rai. Chwe mis o garchar wedi'i ohirio am ddwy flynedd gefais i. Pan ynganodd y Barnwr 'chwe mis' roeddwn i'n disgwyl y gwaethaf. Yna dyma fo'n oedi wedyn – ac mae gen i ryw syniad eu bod nhw'n cael eu dysgu i wneud hyn – dyma fo'n ychwanegu y câi'r ddedfryd ei gohirio. Roedd hynny'n golygu, o dorri'r gyfraith eto o fewn y cyfnod hwnnw, y cawn i fy nanfon i garchar heb unrhyw angan am gynnal achos. Golygfa drist oedd gweld Hotomobîl Mici Plwm yn gadael am Walton a charchardai eraill gan gludo Ffred, Goronwy Fellows ac eraill.

Mae o'n brofiad y medra i edrych yn ôl arno bellach fel rhan o brofiad bywyd. Ond, ar y pryd, roedd o'n brofiad digon dirdynnol. Dyna oedd fy rhan i yn y frwydr dros sicrhau sianel deledu Gymraeg. Ugain mlynadd yn ddiweddarach ac fe fydda i'n meddwl o ddifri, fel nifer o ymgyrchwyr Cymdeithas yr Iaith, ai am yr S4C sy'n bodoli rŵan y gwnaethon ni brotestio. Petai raid i mi dreulio dyddiau a nosweithiau yng ngharchar eto, fe wnawn i'n siŵr y byddwn i'n gwneud hynny am achos amgenach na'r sianel sy ganddon ni.

Nid yr ymgyrch honno yn erbyn y mastiau oedd yr unig un i mi fod yn rhan ohoni. Ym Mangor oeddwn i bryd hynny hefyd. Fe fyddai'r gweithgareddau yn cael eu trefnu naill ai yng Ngholeg Bala Bang neu yn Ystafell

Gymraeg y Top Col. Penderfynwyd meddiannu adeiladau mastiau Nebo a Llanddona. Mae mast Nebo o fewn dau neu dri lled cae i gartra Bryn Fôn. Mae'n siŵr gen i mai gan Bryn mae'r llun teledu gora yng ngwledydd Prydain.

Beth bynnag, y syniad oedd rhannu'r criw yn ddau, un garfan i fynd i Nebo a'r llall i Landdona. Fel y rhannai'r criw roedd ambell un i'w weld yn sefyll yn ôl er mwyn gweld ym mha griw yr oedd y mwyafrif o'r merched.

Aeth llawer o'r criwiau hynny ymlaen i fod mewn swyddi pwysig ym myd addysg, rhai yn dod yn brif-athrawon. Yng nghriw Nebo oeddwn i. Roedd yna ffens fel Stalag o gwmpas y lle, oedd yn drwch o weiren bigog. Fedrai aderyn to ddim cael mynediad heb blygu ei adenydd o gwmpas ei dacl. Ond roedd Charli, neu George Jones, yn gwybod sut oedd goresgyn ffens o'r fath. Roedd ganddo fo hen sach go drwchus a dyma fo'n ei gosod hi dros y weiren bigog. Wedyn, Twm Fawr yn cwpanu ei ddwy law fel y gallai'r gweddill, yn eu tro, osod troed yn ei ddwylo ac yntau wedyn yn eu hyrddio drosodd. Rhywbeth tebyg i Albanwr yn taflu boncyff ym Mabolgampau'r Ucheldir. Roedd y sach yn arbed tîn trowser rhag bachu yn y weiran.

Roedd hi'n bwysig i rywun mawr, cryf fynd drosodd yn gynta er mwyn dal y lleill ac, yn ffodus iawn, roedd ganddon ni John Pierce Jones, neu John Bŵts. I mewn â ni ac i'r adeilad ar ôl malu'r clo â gordd. Y gwaith cynta oedd diffodd pob switsh fedran ni, gan gynnwys y switsh oedd yn goleuo'r golau coch ar ben y mast i rybuddio awyrennau. Ffonio wedyn i rybuddio'r awdurdodau. A dyma fodurgad o geir heddlu'n cyrraedd.

Yn sydyn roedd fflachlampau'r heddlu'n goleuo'r lle drwy'r ffenestri a'r rheiny'n synnu o weld cymaint ohonom yno. Unwaith eto roedd yr heddlu'n adnabod rhai ohonon ni wrth ein henwau cynta wrth i oleuadau'r lampau oedi ar ein hwynebau. Roedd protestiadau cyson fel hyn yn cadw'r fflam ynghynn. Bryd hynny roedd yna ymgyrch bron bob wythnos. Ymgyrchoedd darlledu, y swyddfa bost, addysg ac yn y blaen.

Nid Risley oedd y carchar cynta i mi fod ynddo. Roeddwn i wedi bod yn y carchar adeg yr achos cynllwynio cynta yn Llys y Goron Abertawe ym 1971. Yr hyn wnaeth fy sbarduno oedd darllen am y Parchedig Raymond Williams, Caerdydd yn cael ei garcharu am sefyll dros yr iaith. Roeddwn i ym Mangor a dyma fi'n penderfynu mynd i lawr i Abertawe i gefnogi'r rhai oedd o flaen y llys. O'r dechrau ar fy ffordd i lawr fe wyddwn i yng nghefn fy meddwl y gwnawn i fwy na sefyll mewn cefnogaeth yng nghefn y llys. Roeddwn i am wneud rhywbeth pendant.

Roeddwn i'n aros yng nghartra myfyrwyr. Roedd yna rwydwaith o dai diogel ble bynnag roedd Cymdeithas yr Iaith yn gweithredu bryd hynny. Fe godais yn fore a mynd i mewn i'r oriel gyhoeddus. Daeth swyddog y llys i mewn a rhoi gorchymyn yn Saesneg ar i bawb godi wrth i'r Barnwr ddod i mewn. Fe gododd pawb ond fi ond wnaeth neb sylwi ar ryw hogyn bach fel fi yn protestio. Yna, wedi i bawb ail-eistedd dyma gyfle yn dod i Sacheus bach fel fi i wneud ei brotest. Fe sefais ar fy nhraed a chyhoeddi nad oeddwn wedi codi ar orchymyn y swyddog. Fe waeddais nad oedd y llys yn un teg os oedd gweinidog yr efengyl yn cael ei gloi mewn carchar. Fe es i yn fy mlaen gan fytheirio am tua dau funud ac erbyn hyn roedd dau heddwas wedi cyrraedd. Dyma nhw'n fy llusgo i tua'r drws a minnau'n dal i weiddi a bytheirio. Fe ddeallais wedyn bod fy mhrotestiadau i'w clywed yr holl ffordd i lawr i'r celloedd. Geiriau… clip-clop… geiriau… aw!… geiriau… clip-clop… Y clip-clop oedd sŵn fy sodlau yn hitio'r grisiau wrth i mi gael fy llusgo. Mae'n rhaid ei bod hi fel rhyw sgetsh ddoniol. Yna dyma sŵn drws cell yn bangio ar gau a'r Barnwr yn cychwyn gweithgareddau'r dydd.

Ar ddiwedd y prynhawn fe ges fy nhynnu allan i ymddangos o flaen y Barnwr yn y doc, lle bu'r diffinyddion, pobol fel y Dr John Davies, Dafydd Iwan a Morus Rhys. Edrychodd y Barnwr dros ei sbectol a chyhoeddi, yn ei Saesneg crand, fy mod i yno ar gyhuddiad difrifol, sef dirmygu'r llys. Fe roddodd gyfle i mi roi fy ngair na wnawn i hynny byth eto. Petawn i'n gwneud, fe gawn fy rhyddhau. Finna'n ateb na fedrwn i wneud hynny. Ei ymateb o oedd cyhoeddi y cawn i fy nghludo i Garchar Abertawe tan ddiwedd yr achos ac yna ymddangos o'i flaen o bryd hynny i wynebu fy nghosb. Ac i ffwrdd â mi, yng nghwmni'r diffinyddion yn y Black Maria, i Garchar Abertawe.

Rhwng pawb roedd tua wyth ar hugain o aelodau'r Gymdeithas erbyn hyn yng Ngharchar Abertawe, sy'n edrych i lawr ar Gae'r Vetch. Roeddwn i'n rhannu cell â rhywun a gâi ei adnabod fel Corky the Circus Boy, am fod ganddo fo siwt carchar gyda streipen felen i lawr coes ei drowsus a rhyw ddiamwnt melyn ar gefn ei got. Y rheswm oedd o'n gorfod gwisgo felly oedd iddo, fwy nag unwaith, geisio dianc. Petai o'n llwyddo i ddianc eto fe fyddai ei ddillad yn ei wneud o'n hawdd ei adnabod. Ceisiodd y creadur anllythrennog egluro wrtha i iddo ddwyn moto-beic bob dydd am bythefnos. Roedd ganddo record go ddrwg ac roedd o i mewn am flwyddyn neu ddwy. Gofynnodd i mi sgwennu llythyr ar ei ran o at ei gariad yn gofyn iddi ei briodi. Fe fyddai hynny, yn ôl ei dwrne, yn help iddo gael ei ryddhau'n gynnar. Fe sgwennais i'r llythyr a'i gael o wedyn i'w gopïo. Wn i ddim be ddigwyddodd ond, os gwnaeth o briodi, tybed a oedd hi'n sylweddoli mai fi wnaeth ofyn iddi wneud hynny?

I garcharor sy'n cael ei gau i mewn am dair awr ar hugain y dydd, mae hynny'n gosb ynddi ei hun ac yn medru chwara ar y nerfau. Ond roedd Corky yn dreth ar fy nerfau i am ei fod o'n canu – a chanu yr un gân – Cecilia, un o ganeuon Simon a Garfunkle. Ddydd a nos. Y cyfan glywn i oedd: *'Cecilia, you're breaking my heart, you're sapping my confidence daily…'* Roedd gen i ofn deud wrtho am gau ei geg gan ei fod o'n edrych yn greadur rhy beryglus.

Mae yna ddrwgweithredwyr mewn carchar, wrth reswm, ond mae yno gomedïwyr hefyd, pobol sydd â hiwmor arbennig. Roedd un o'r sgriws wedi gofyn i rywun dorri fy ngwallt i. Roedd hi'n rheol anysgrifenedig i beidio â gofyn i garcharor be oedd o wedi ei wneud i gael ei hun mewn carchar. Roedd hwn wedi bod i mewn am ddwy flynedd a dyma fo'n deud ei fod o'n mynd i weld y Rheolwr trannoeth i ofyn am gael ei drosglwyddo i garchar arall. Finna'n rhyw esgus dangos diddordeb. Roedd o am gael ei symud i Dartmoor gan iddo glywed fod yr amser yn mynd yn gyflymach yno a hefyd y câi ddysgu crefft yno. Aeth yn ei flaen i ddeud na fydda fo yn y carchar oni bai am siswrn. Yn ei law roedd siswrn mor fawr â siswrn gardd. A dyma fo'n deud mai'r rheswm yr oedd o yno oedd iddo ddal ei wraig gyda rhywun arall a'i fod o wedi eu lladd nhw hefo siswrn. Roedd o'n gwenu wrth ddeud hynny ond wn i ddim ai tynnu coes oedd o ai peidio.

Ar ddydd Sul fe gaem ddewis mynd i gapal neu i gyngerdd. Roedd o'n gyfle da i gael mynd allan o'r gell. Roeddwn i wedi bod mewn gwasanaeth yn y bore a dyma ofyn am fynd i gyngerdd yn y prynhawn. Llond y lle o garcharorion. Dyma ddynas efo bronnau mawr, mawr yn ymddangos ar y llwyfan gan adrodd rhyw eiriau mewn Eidaleg cyn dechrau canu. Mwy o floeddio nac o ganu. Bloeddio a sgrechian. Mae'n amlwg mai rhyw gantores opera a oedd am wneud daioni mewn cymdeithas oedd hi. Ond dyna lle'r oedd tua dau gant o garcharorion yn methu â stopio chwerthin. Chwerthin nes bod eu hystlysau nhw'n hollti. A'r sgriws, wrth geiso cael tawelwch, yn ei chael hi'n anodd eu hunain i beidio â chwerthin. Credwch neu beidio, y gân oedd hi'n ganu oedd 'Bless this House'. Y canlyniad fu i ni i gyd gael ein martsio yn ôl i'n celloedd.

Mewn un adain roedd yna griw o brotestwyr gyda'i gilydd ac, ar adegau, fe fyddai pawb yn cyd-ganu. Un o'r lleisiau amlycaf oedd llais y diweddar Barchedig Elfed Lewys. Fe glywn ei lais yn atseinio drwy'r lle.

Ar ddydd Gwener y dygwyd fi i'r carchar. Ar y dydd Sadwrn roedd hi'n ffeinal Cwpan Lloeger ac fe gafodd rhai ohonon ni gyfle i wylio'r gêm ar y teledu. Wedi i

Arsenal guro Lerpwl o ddwy gôl i un fe neidiodd
Gwilym Tudur ar ei draed a gweiddi:

'Hwrê! Dyna be' sy'n dod i ladron dŵr!'

Fe ges i fy rhyddhau un bore ganol yr wythnos. Roedd
yr achos wedi dod i ben a'r Barnwr wedi mynd 'nôl i
Lundain. Doedd neb yn cofio fy mod i yn dal i mewn.
Roedd eraill yn yr un sefyllfa gyda'r Barnwr wedi mynd
heb iddyn nhw fod wedi bod o'i flaen. Fe'n gyrrwyd allan
drwy'r drws cefn gyda darn o bapur yr un wedi ei
arwyddo gan y Swyddfa Gartref yn ein galluogi i fynd
adra ar drên neu fws. Fe aeth criw ohonon ni tua'r orsaf,
yn ein plith Dylan Iorwerth, Dyfan Roberts a Ieu Rhos.
Ond, er mwyn hwyl, fe aethon ni i gyd i fyny at y
swyddog tocynnau fesul un a sibrwd mai 'secret agents'
oeddan ni. Ond fe wyddai o'r gora mai wedi dod o'r
carchar oeddan ni.

Dydw'i ddim yn aelod o Gymdeithas yr Iaith bellach.
Ond mi rydw i'n gefnogwr. Ac, o edrych yn ôl, roedd yna
lawer mwy o hwyl yn y dyddiau cynnar hynny. Mae
achub iaith yn fater difrifol iawn, wrth gwrs, ond o ran
personoliaethau roedd llawer mwy o sbort a hwyl. Mewn
un ffordd roedd rhywun yn dioddef, ond roedd yno
gyfeillgarwch yn cael ei ffurfio a llawer iawn, iawn o
hwyl. Roedd hiwmor yn help ar gyfer parhad y frwydr.
Ond fedra i ddim peidio â meddwl fod yr ymgyrchwyr
ifanc heddiw yn cymryd eu hunain ormod o ddifri.

Un eithriad anrhydeddus yw Ffred Ffransis. Mae
Ffred yn hen law ar brotestiadau ac ymgyrchoedd ac
wedi bod yng ngharchar droeon. Mae ei ymroddiad o'n
cryfhau o ymgyrch i ymgyrch ond dydi ei hiwmor a'i
ddoniolwch o, hyd yn oed yng ngwres y frwydr, ddim

wedi pallu na phylu. Rwy'n un o'r rheiny sy'n credu fod ychydig o ysgafnder rŵan ac yn y man yn help i barhad y frwydr. Erbyn hyn mae llawer o'r hiwmor wedi mynd ar goll a dwi'n credu, petai o'n dod yn ôl, y byddai hi'n haws cyrraedd y nod.

Tro Crwn

Mae babi *D Day* + 6 bellach mewn canrif newydd ac mewn mileniwm newydd. Ac mae o 'nôl, i bob pwrpas, yn ei filltir sgwâr.

Fe gychwynnodd fy modolaeth o ganlyniad i fygythiad bomiau Hitler i drysorau'r Oriel Gelf Genedlaethol yn Llundain. Yn dilyn gollwng bom yn nes adra, ar arfordir Bae Ceredigion, fe symudwyd y trysorau eilwaith o Aberystwyth i chwaral yn Llan Ffestiniog. A hynny fu'n gyfrifol i deulu fy narpar fam symud i'r fro.

Heddiw dyma fi 'nôl yn byw a gweithio fel Cyfarwyddwr Artistig mewn man sy'n edrych allan ar Fae Ceredigion, lle disgynnodd y bom. Ac ie, Hitler fu'n gyfrifol am fy modolaeth.

Ac, o feddwl i Nhaid ddod i Lan Ffestiniog i ofalu am drysorau o'r byd celfyddydol, dyma finna bellach yn gyfrifol nid yn unig am y ddrama a pherfformiadau eraill ar lwyfan Theatr Ardudwy ond hefyd yn penderfynu a threfnu pa luniau sy'n cael eu harddangos ar furiau'r adeilad hwnnw. Felly mae rhyw dro crwn wedi digwydd.

O ran y teulu, bu farw Nhad ym mis Chwefror 1982. Ac er gwaethaf salwch hir, bu Mam fyw tan fis Ionawr, 1994. Mae fy chwaer hŷn, Maureen, yn briod ac mae ganddi bedwar o blant. Mae'r teulu'n byw ar y ffin yn Rhyn. Mae Monica yn byw yn Llanfairpwll, hithau'n briod gyda dau o blant. Malcolm yn dal yn y fro, yn Nhremadog; mae yntau'n briod a chanddo ddau o blant. Dim ond fi sy'n dal yn ddibriod. Ac yn ddiblant, hyd y gwn i.

O gartra Bryn Llywelyn mae'r daith wedi cynnwys gweithio fel trydanwr ac ymlaen i Ddisco Teithiol Mici Plwm. Fe arweiniodd ymlaen drwy Gwmni Theatr Cymru lle'r oeddwn i'n goleuo actorion, i fod yn actor fy hun o dan y golau. Ymlaen wedyn i deledu ac i fyd arallfydol Syr Wynff a Plwmsan. Ymlaen eto drwy amrywiaeth o waith. Fe fues i hyd yn oed yn Dalek unwaith. A'm cyd-Ddalek oedd Frank Lincoln. Dau Ddalek a oedd wedi dod o stiwdios Doctor Who yn Llunden i stiwdios y BBC yn Broadway, Caerdydd ar Bili Dowcar, ac roedd yn rhaid cael Daleks oedd yn siarad Cymraeg. Fe wnes i groesi'r ffin i weithio ar Play of the Month yn nrama Goldsworthy, 'Strife'. Fe fues i ar gyfres 'Ennal's Point', cyfres deledu am griw bad achub. Ac rwy'n un o'r ychydig iawn o actorion Cymraeg sydd wedi gweithio yn Hollywood. Wnes i ddim sôn am hynny, naddo? Wel, mae'n wir.

Fe ges i a Wynff fynd allan i actio yn Hollywood. Roedd cwmni o'r Almaen am saethu cyd-gynhyrchiad yn Universal Studios a'r penderfyniad oedd i Syr Wynff a Plwmsan gael mynd allan i wneud fersiwn Gymraeg a Saesneg. Wedyn fe fyddai'r cwmni'n cyfieithu'r cyfan i'r Almaeneg. Roeddan ni, medda nhw, yn gymeriadau delfrydol i fynd i fusnesu y tu ôl i beirianwaith y setiau mawr oedd yno. Rwy'n cofio Wynff a minnau yn cyrraedd yng ngheg 'Jaws', er enghraifft. Dychryn ein hunain wedyn ar set 'Psycho'. Malu a chwalu rhyw ddrysau ar set 'Battle Star Galactica'. Fe redais i hefyd ar draws y Môr Coch. Wrth gwrs, roedd y Môr Coch yn golchi drosta i wrth i mi blygu i glymu fy sgidiau. Dim ond i Plwmsan fyddai hynny'n debyg o ddigwydd. Dim Hitler yw'r unig unben i chwara rhan bwysig yn fy mywyd i. Mae gen i a Pharo rywbeth yn gyffredin hefyd.

Fe gawson ni'n trin fel sêr yno. Cael ein hedfan drosodd ym 1982. Gweithio am tua pythefnos a dod adra heb syrthio i'r trap o dderbyn cynigion i aros ac i weithio yno. Rwy'n cofio'r diwrnod cynta roeddan ni yno a rhyw foi o'r enw Spielberg – fedra'i ddim cofio'i enw cynta fo – yn cynnig ugain miliwn o ddoleri i ni aros yno ac ymddangos mewn rhyw ffilm yr oedd o'n gweithio arni. Ond fe ddywedodd Wynff a minnau wrtho ble i stwffio'i bres. I fod yn ddifrifol, do, fe gawson ni gynnig gwaith arall. Ond adra oeddan ni isio bod, ymhlith ein ffrindiau yng Nghymru. Ac adra ddaethon ni. Ond fe *wnaethon* ni weithio yn Hollywood. 'Sdim llawer o Gymry fedr ddeud hynny.

Erbyn hyn rydw i wedi gwneud nifer o raglenni dogfennol, rydw i wedi sgwennu ac wedi cyfarwyddo. Trawsdoriad go sylweddol o waith cyfryngol ac adloniadol. Ac, ar ôl pymtheng mlynadd ar hugain, yn dod i sefyllfa lle nad ydw i'n edrych arnaf fy hun fel cyfryngi. Fe fydd pobol yn gofyn i mi'n aml pam na wnâ i fynd am beint yng nghlwb y BBC. Fe fyddai hynny, i mi, fel meddwl am löwr yn mynd am beint i gantîn y lofa ar ôl gorffen diwrnod o waith. Fy mholisi i ers tro byd bellach yw mynd ar y set, neu i stiwdio pan fo angan, gwneud fy ngwaith ac yna mynd allan i'r byd go iawn

gyda chyfeillion. Mae yna rai – a phob lwc iddyn nhw –
sy'n dewis byw y bywyd afreal. Ond nid y fi.

Felly, fe wyddwn i yng nghefn fy meddwl ers tro y
gadawn i ddinas Caerdydd, lle'r oeddwn i wedi byw ers
dros ddeng mlynadd ar hugain, ac y byddwn i'n mynd yn
ôl i fy milltir sgwâr. Mae calon Cymro fel y trai. Mae o'n
siŵr o ddod 'nôl. Yn fy achos i mae calon Gog fel y trai.
Ac rwyf wedi dod 'nôl.

Hyd yn oed yn ystod y cyfnod pan oeddwn i'n byw yng
Nghaerdydd roeddwn i'n treulio tua thrigain y cant o
bob blwyddyn yn y Gogledd. Fy nheulu i, fy ffrindiau i,
fy nghâr – mae nhw i gyd i fyny yn y Gogledd. Dwi'n
gefnogwr brwd o dîm pêl-droed Porthmadog – yn wir, yn
un o gyfarwyddwyr y clwb. Rwy'n cael llawer iawn mwy
o bleser o bêl-droed ar y lefel yna. Dydi o ddim ar yr un
lefel â fy hoff dîm dros y ffin, sef Manchester United.
Ddim hyd yn oed ar lefel fy ail-hoff dîm, sef Wrecsam,
ond mae clwb Porthmadog yn glwb cymdeithasol iawn.
Rwy'n hoffi'r hyn sy'n mynd hefo fo, y cymdeithasu, y
cyfarfod am sgwrs, nabod y chwaraewyr, nabod y
cefnogwyr, y banad o de hannar amser, darllen y rhaglen,
pwyso a mesur y perfformiad wedi'r chwibaniad olaf.
Mae o i gyd yn rhan o'r mwynhad. Weithiau ar fore
Sadwrn, a minnau yng Nghaerdydd yn sylweddoli fod
Port yn chwara adra, doedd o'n ddim i mi neidio i'r car a
gyrru am deirawr i fyny i'r gêm.

Y tu allan i'r tymor pêl-droed, doedd o'n ddim byd i
mi wneud yn union 'run fath ar nos Wener ar ôl gorffen
mewn stiwdio neu neuadd, ei throi hi i fyny am Bwllheli
lle bydda i'n cadw fy llong hwylio, y Panache. Fe brynais
i hi gan yr enwog Richard Tudor, neu Skip, fel y bydda i

yn ei nabod o. Rwyf wedi hwylio llawer iawn gyda Richard ac mae hi'n fraint cael bod yn berchennog ar y Panache, ei gyn-gwch o a'i dad. Mae'r cwch wedi rhoi blynyddoedd mawr o fwynhad i mi o ran cymdeithasu yn ogystal ag ennill llawer o rasys gyda Victor Jones yn hwylio a chriw o hogia lleol ar ei bwrdd. Mi oedd hynny hefyd yn fy nhynnu i fyny i'r Gogledd.

Pan fyddwn i'n ddi-waith hefyd – ac mae hynny wedi digwydd droeon – fe fyddwn i'n dod i fyny. Mae pobol yn meddwl, o'ch gweld chi'n weddol reolaidd ar y teledu, fod ganddoch chi waith am oes, gwaith sy'n ennill arian mawr. Ond nid felly mae hi. Mae gweithio ar y cyfryngau yn medru bod yn dalcan caled ac mae hi'n mynd yn galetach o flwyddyn i flwyddyn. Dydi'r trên grefi ddim yn rhedeg mwy. Mae'r lein wedi cau. Ond petai hi'n dod i hynny, ches i ddim grefi erioed. Ddim hyd yn oed lwmp ohono fo. Mae yna, felly, ddigon o amser sbâr i'w gael.

Fe fu yna gyfnod, i fyny at y flwyddyn ddiwethaf, lle'r oedd gen i guddfan. Carafán yn Ninas Dinlle. Mynd yno i sgwennu, i ddarllen, i guddio pan o'n i'n teimlo fy mod i isio bod ar fy mhen fy hun.

Dwi'n mwynhau bod ar fy mhen fy hun. Dwi'n mwynhau fy nghwmni fy hun yn fawr iawn. Cofiaf ddarllen geiriau'r awdur, Henry Thoreau, mewn brawddeg yn un o'i ysgrifau, sy'n deud yr union beth rydw i'n ei deimlo: *I've never found the companion so companionable as solitude*. Mae hwnna'n ddeud mawr. Does yna ddim llawer iawn o bobol, mae'n debyg, sy'n well ganddyn nhw eu cwmni eu hunain yn hytrach na bod mewn torf. Ond, fel un sydd wedi gweithio mewn cyfrwng torfol, mi fedra i eistedd ar fy mhen fy hun yn darllen neu hel meddyliau am hydoedd. Meddwl pwy ydw i. Rwy'n hoff iawn o encilio. A dyma fi 'nôl gyda'r ynysoedd yna unwaith eto. Mae'n haws encilio ar ynys. Mae'r môr o'i chwmpas hi, yn un peth, yn cadw petha annifyr i ffwrdd. Ond pan na fyddo yna ynys ddaearyddol ar gael mi fedra'i greu fy ynys fach feddyliol fy hun. Rwy'n hoff iawn o fod mewn carafán ar gae ar fy mhen fy hun heb neb ond fi ar y safle; ganol gaea' mi fyddai hynny'n digwydd yn aml. Fyddai gen i ddim ofn. Os rhywbeth mi fyddai'r unigrwydd yn ychwanegu at y pleser.

A phan fydda i'n teithio i bellteroedd byd ar fy mhen fy hun fe fydda i bob amser yn gofyn am sedd, boed hynny ar awyren, ar drên neu ar fws, wrth y ffenest. A dyna lle bydda i, yn darllen, yn synfyfyrio neu yn syllu allan ar goll yn fy meddyliau. Mae rhai pobol yn meddwl fy mod i'n greadur annibynol iawn. Mae hynny'n wir. Dydw'i ddim yn rhy barod i gychwyn sgwrs gyda dieithriaid. Y gwir amdani, petai pobol ond yn sylweddoli hynny, yw fy mod i'n swil iawn. Cyn i mi agor allan a bod yn fi fy hun gyda phobol dwi newydd eu cyfarfod dwi'n cael fy hun yn gorfod dod i deimlo'n gyffyrddus yn eu mysg. Wedyn y daw'r ysgafnder, y storïau difyr a'r jôcs. Nes i mi sefydlu fy hun mewn criw hwyliog, fi ydi'r un tawedog, swil.

Bellach rwy'n Gyfarwyddwr Artistig yn Theatr Ardudwy ers tua blwyddyn gan fwynhau'r gwaith yn fawr iawn. Mae'n bleser pur codi yn y bore i fynd i'r gwaith. Lleiafswm bychan iawn o bobol fedr ddeud hynny, ond mi fedra i. Ddim fod y gwaith yn waith hawdd. Mae'n cynnig her ac yn codi rhywun i ymgiprys â phob math o broblemau. Ond rwyf wedi dod 'nôl ar ôl cymryd y tro crwn, testun un o ddramâu Wil Sam, tro crwn i'r lle ble ddechreuodd y cyfan.

Ydi, mae'r olwyn wedi cyrraedd yn ôl i'r union fan ag y cychwynnodd. Ac mae'r plentyn pump oed a fu'n actio'r hwsmon bach yn Neuadd Goffa Llan Ffestiniog, fy ymddangosiad cynta i fel actor tra'n ddisgybl yn yr ysgol gynradd, wedi dod yn ôl. Yn union fel Dick Whittington, ond heb ei gath. Fe all hyn swnio fel rhywbeth y gall rhywun ei ddeud yn rhy hawdd, ond mi rydw i wedi dod 'nôl oherwydd mai un oddi yma ydw i. Rwy'n teimlo hynny pan fydda i'n troedio'r ardal. Fe fydda i'n cael y fath gic na fedr unrhyw beint o gwrw cryf na chyffur fyth ei roi i mi. Wn i ddim ai symptomau mynd yn hŷn neu fynd yn hen yw hyn. Ond rwy'n teimlo pan fydda i'n troedio o gwmpas Ardudwy fod gen i'r hawl i fod yma. Os bydd unrhyw un yn gofyn i mi pryd wnes i symud i mewn i'r ardal, fe fydda i'n ateb: 'Symud i mewn i'r ardal? Wnes i erioed adael'.

Do, fe wnes i adael yn gorfforol, hwyrach. Ond ddim erioed yn ysbrydol. A dydi hynny ddim yn gor-ddeud. Bydd pobol y bydda i'n sgwrsio â nhw y dyddiau hyn, a minnau'n sôn am bethau a ddigwyddodd flynyddoedd yn ôl, yn gofyn sut goblyn dwi'n gwybod. Yr ateb eto yw na fues i erioed oddi yma. Fe wnes i wrthod mynd ar goll mewn dinas fel Caerdydd. Fe wnes i wrthod mynd ar goll o fewn diwydiant sy'n llyncu pobol i fyny cyn eu chwydu nhw allan. Na, dydw'i ddim yn gyfryngi. Rwy'n un o'r criw bychan sy'n sefyll ar y tu allan ond sy'n mentro i mewn yn achlysurol i ennill ceiniog. Yn un o griw sy'n mwynhau cwmnïaeth, sy'n mwynhau cyfeillgarwch, sy'n mwynhau teithio i ynysoedd pellennig ac sy'n mwynhau cwmni ffrindiau go iawn.

Ac ar ôl teithio'r byd yn gyfan, bron, un o Lan Ffestiniog ydw i, ac un o Lan Ffestiniog fydda i. Meical ddrwg o dwll y mwg. Mae yna ddywediad am y cyw a fegir yn uffern. Fe'm magwyd *i* mewn nefoedd.